A-Z WAKEFIELD

CONTE...

REFERENCE

Motorway	**M1**	Map Continuation	**33**	
A Road	**A61**	Car Park	P	
Under Construction		Church or Chapel	†	
Proposed		Fire Station	■	
B Road	**B6378**	Hospital	H	
Dual Carriageway		Information Centre	i	
One Way Street		National Grid Reference	^{4}45	
Traffic flow on A roads is indicated by a heavy line on the drivers' left.	➡	Police Station	▲	
Restricted Access		Post Office	★	
Pedestrianized Road		Toilet	▽	
Residential Walkway		with facilities for the Disabled	♿	
Track & Footpath		Educational Establishment		
Local Authority Boundary		Hospital or Health Centre		
Postcode Boundary		Industrial Building		
Railway Level Crossing Station		Leisure or Recreational Facility		
		Place of Interest		
Built Up Area		Public Building		
		Shopping Centre or Market		
		Other Selected Buildings		

SCALE 1:15,840 (4 inches to 1 mile) 6.31cm to 1km

0   ¼   ½   ¾   1 Mile

0   250   500   750 Metres   1 Kilometre

Geographers' A-Z Map Company Ltd.

Head Office:
Fairfield Road, Borough Green, Sevenoaks, Kent, TN15 8PP
Telephone 01732 781000

Showrooms:
44 Gray's Inn Road, London, WC1X 8HX
Telephone 020 7440 9500

This map is based upon Ordnance Survey mapping with the permission of The Controller of Her Majesty's Stationery Office.

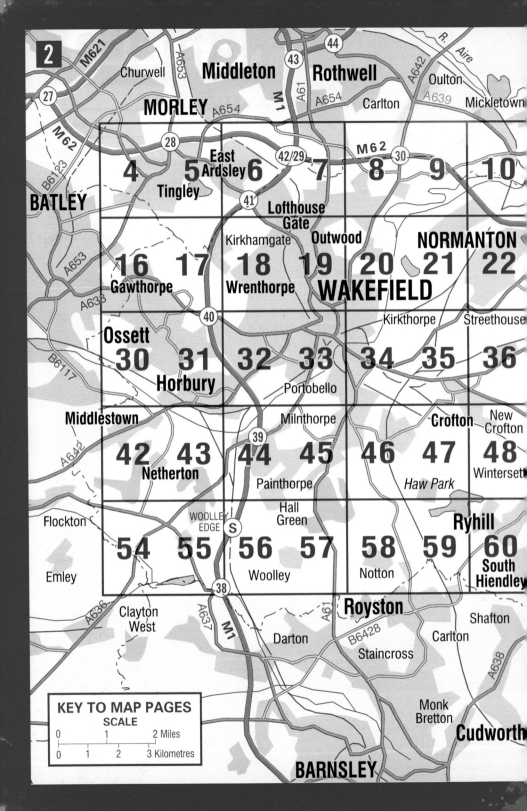

2

Churwell · **Middleton** · **Rothwell** · Oulton · Mickletown

M621 · A653 · A61 · A654 · A642 · R. Aire · A639

27 · M62 · 44 · 43 · Carlton

MORLEY · A654 · 42/29 · M62 · 30

B6123 · 28

4	**5** East Ardsley	**6**	**7**	**8**	**9**	**10**

BATLEY · Tingley · 41 · **Lofthouse Gate**

A653 · Kirkhamgate · Outwood · **NORMANTON**

A638 · Wrenthorpe

16	**17**	**18**	**19**	**20**	**21**	**22**

Gawthorpe · **WAKEFIELD**

Kirkthorpe · Streethouse

Ossett · 40 · Portobello

30	**31**	**32**	**33**	**34**	**35**	**36**

B6117 · **Horbury**

Middlestown · Milnthorpe · **Crofton** · New Crofton

A642 · 39

42	**43**	**44**	**45**	**46**	**47**	**48**

Netherton · Painthorpe · Haw Park · Winterset

Flockton · Hall Green · **Ryhill**

WOOLLEY EDGE **S**

54	**55**	**56**	**57**	**58**	**59**	**60**

Emley · Woolley · Notton · **South Hiendley**

38 · **Royston** · Shafton

Clayton West · A637 · M1 · A61 · B6428 · Carlton · A638

A636 · Darton · Staincross

Monk Bretton

KEY TO MAP PAGES

SCALE

0 — 1 — 2 Miles

0 — 1 — 2 — 3 Kilometres

Cudworth

BARNSLEY

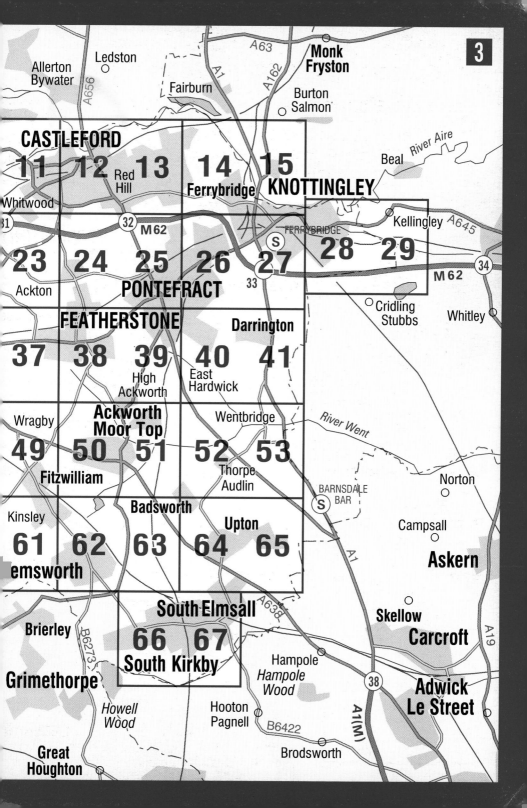

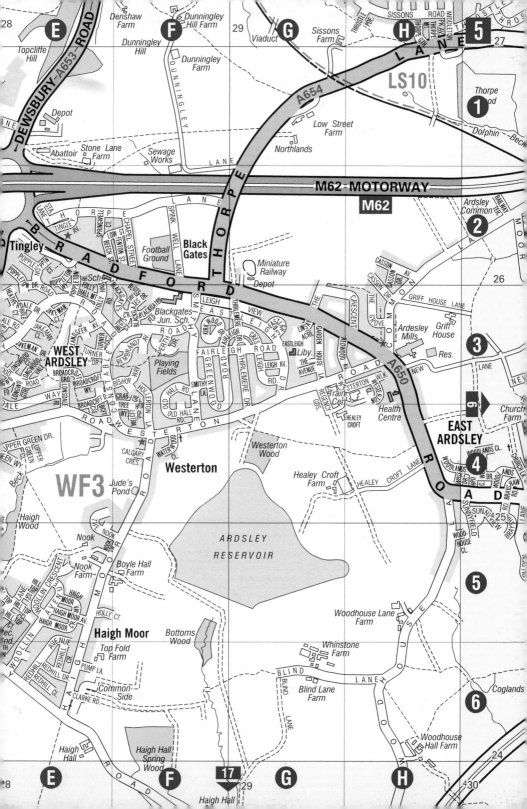

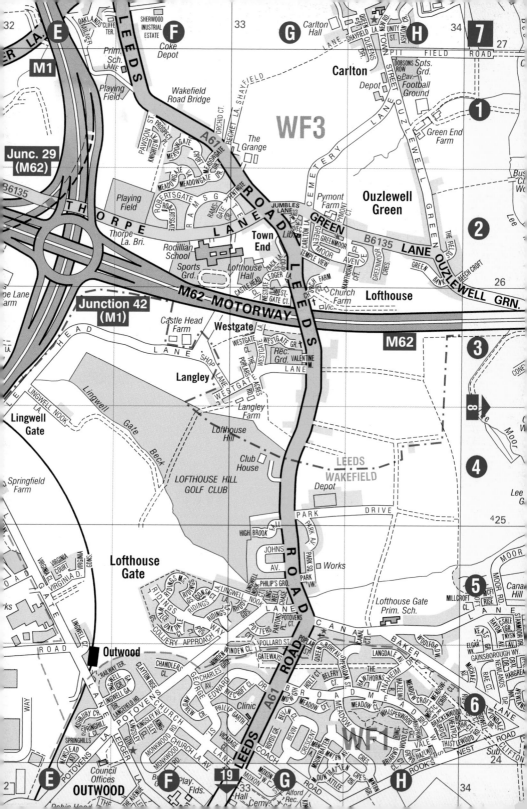

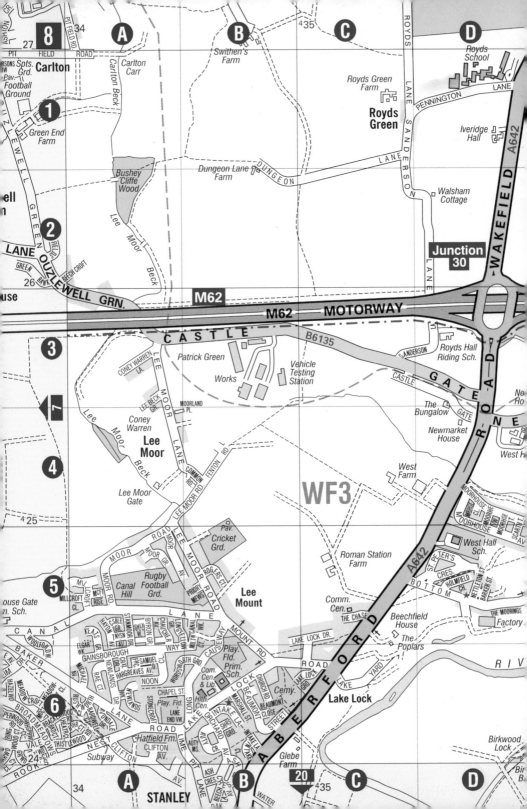

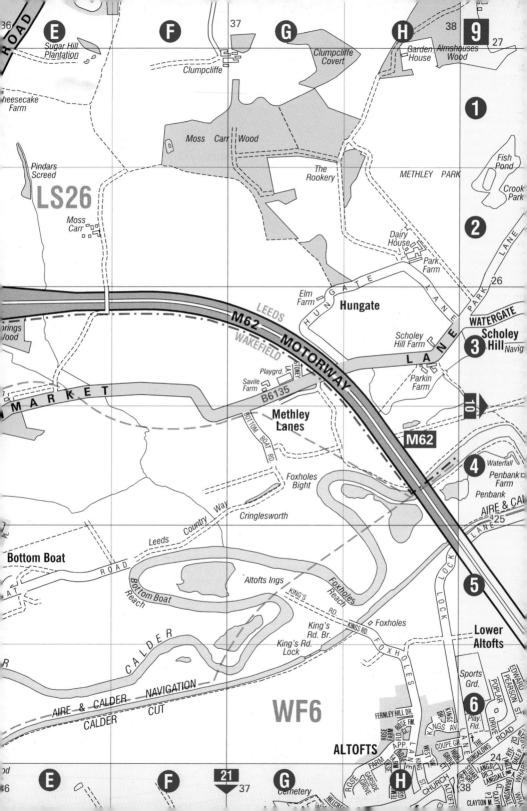

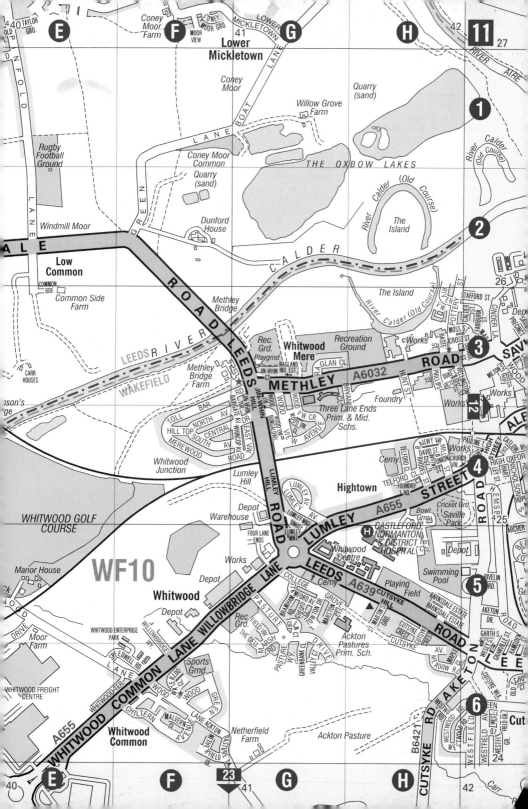

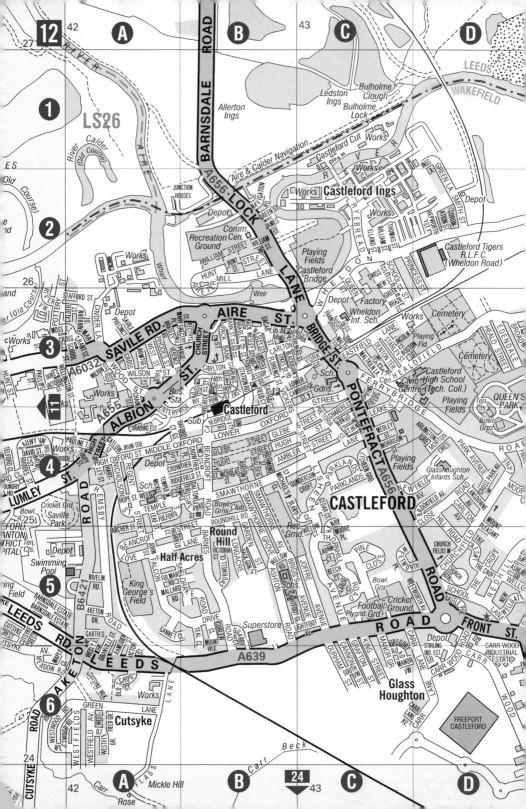

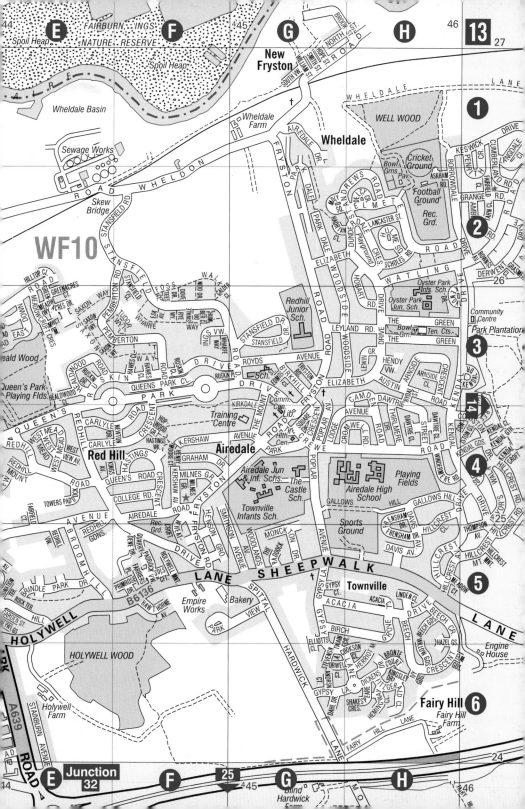

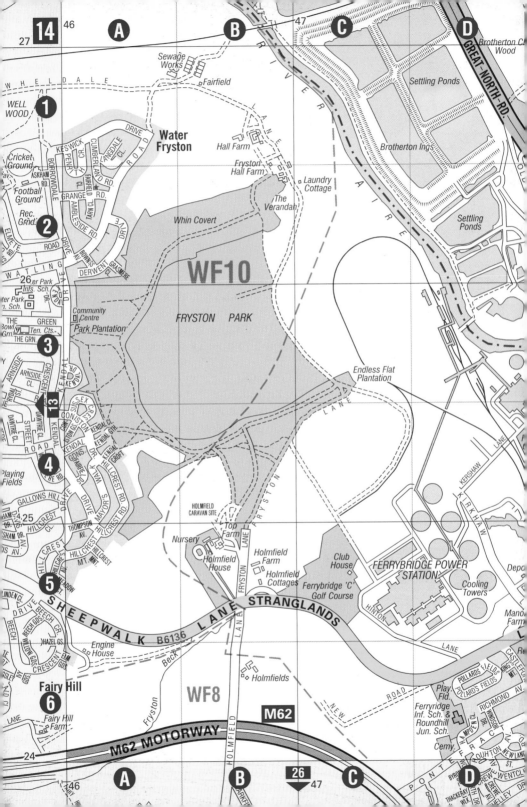

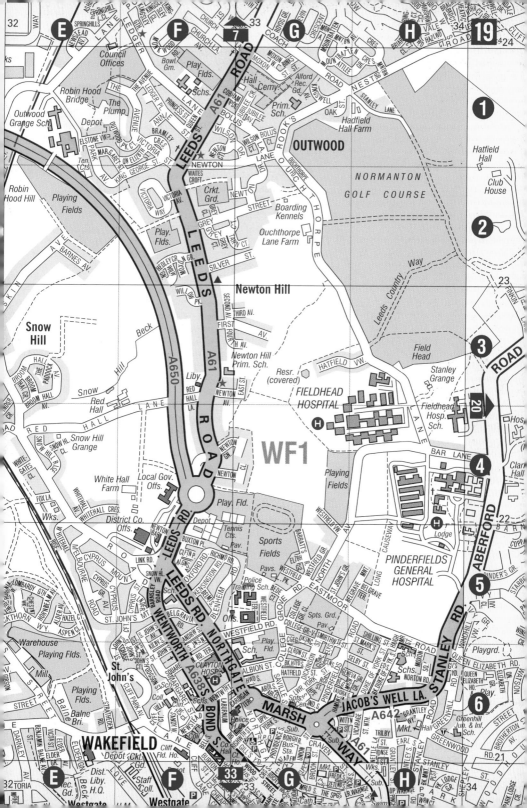

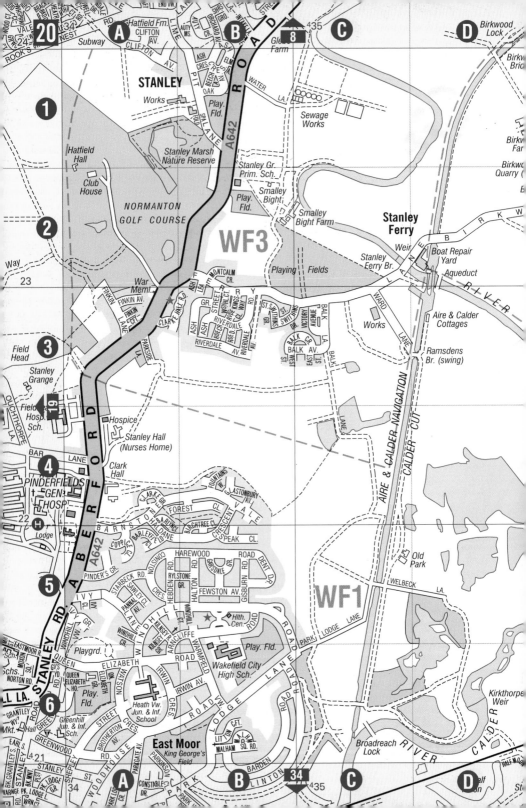

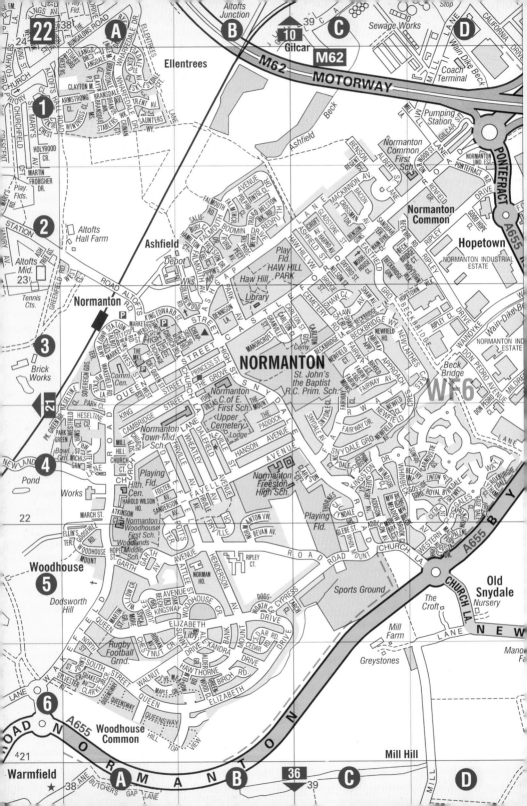

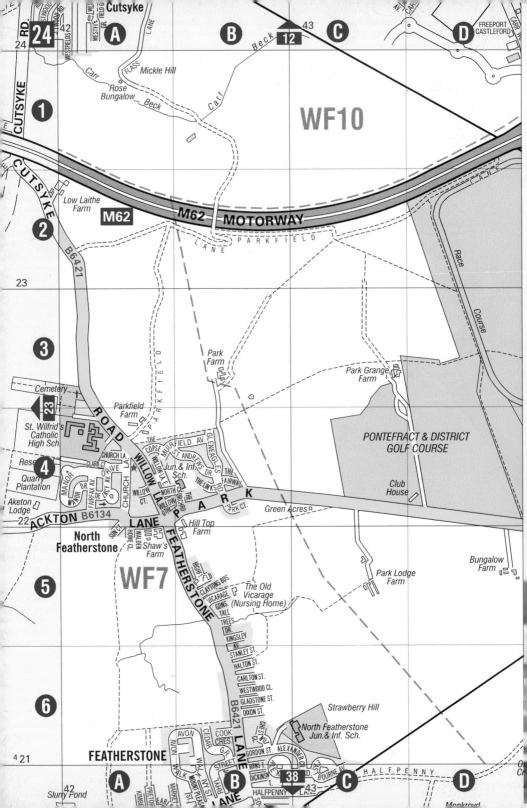

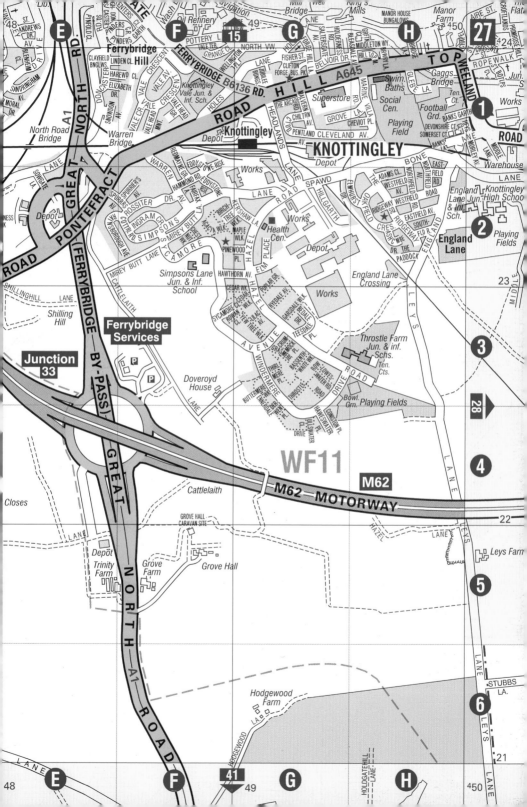

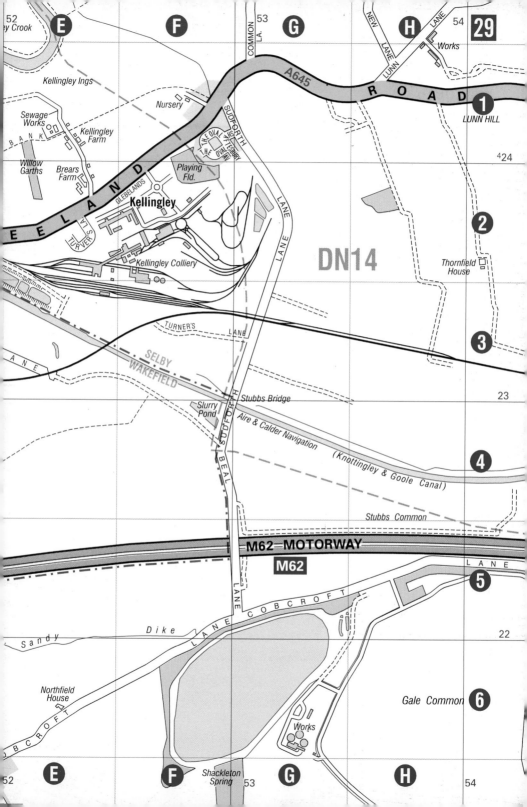

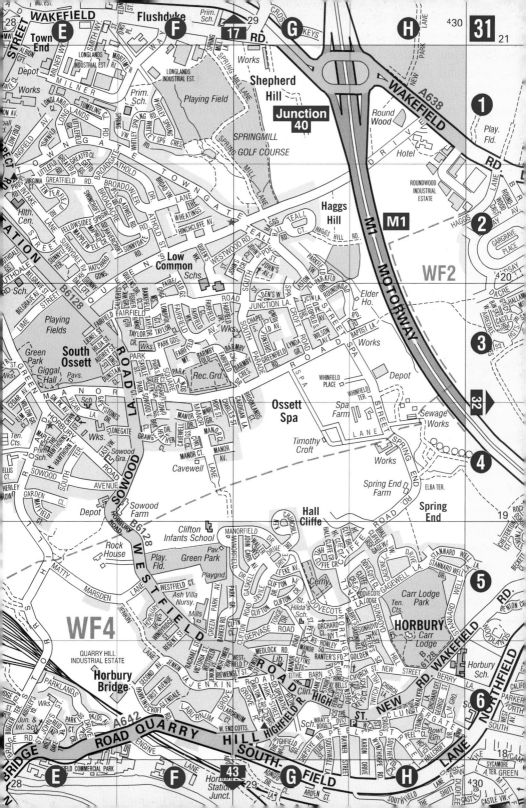

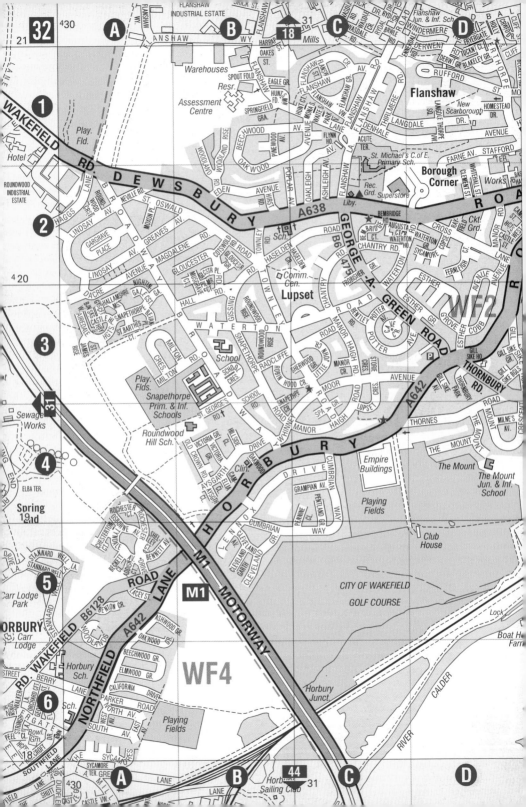

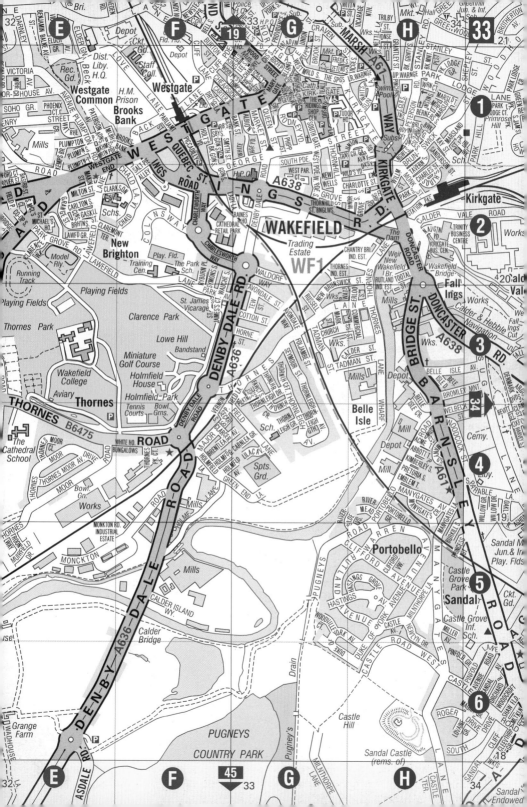

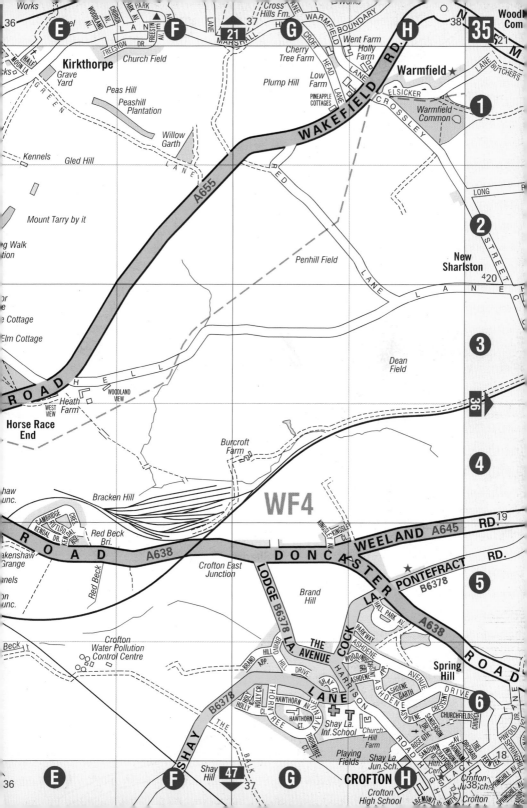

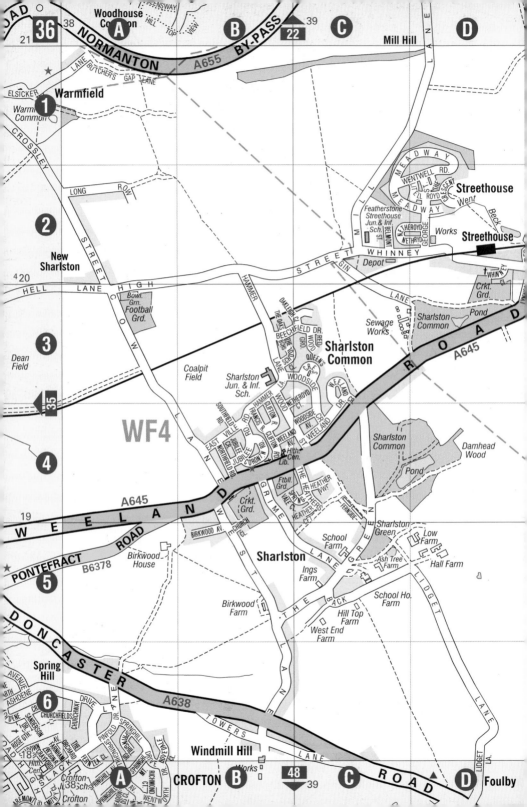

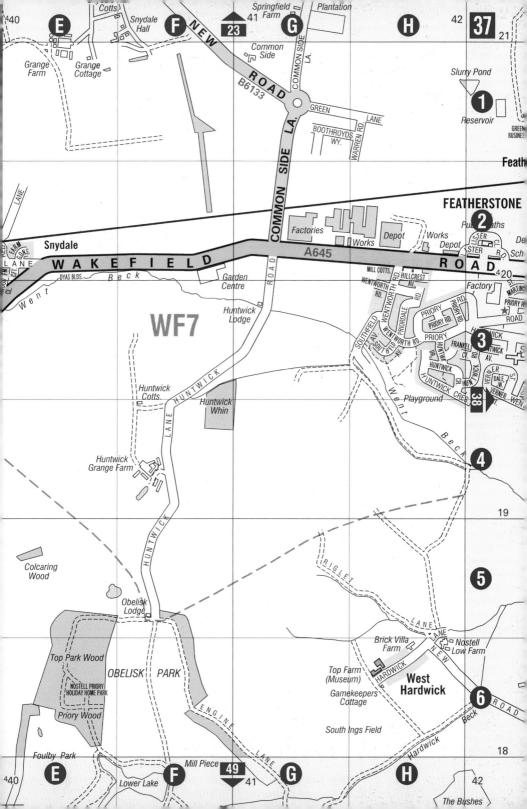

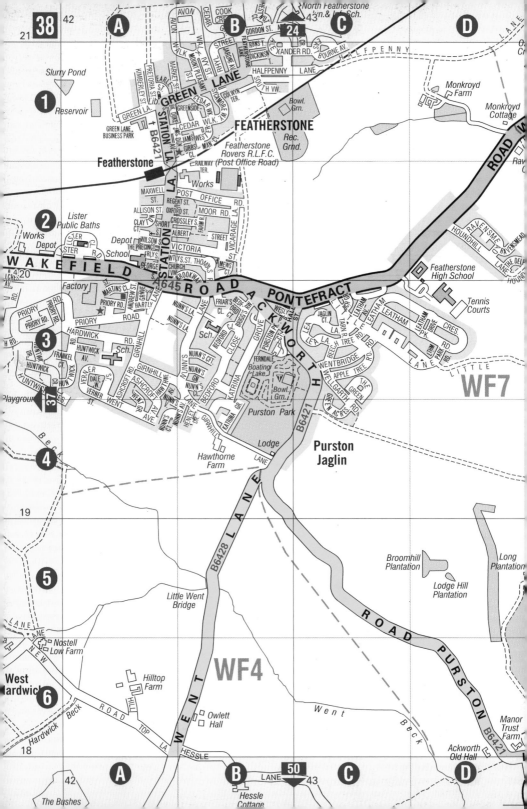

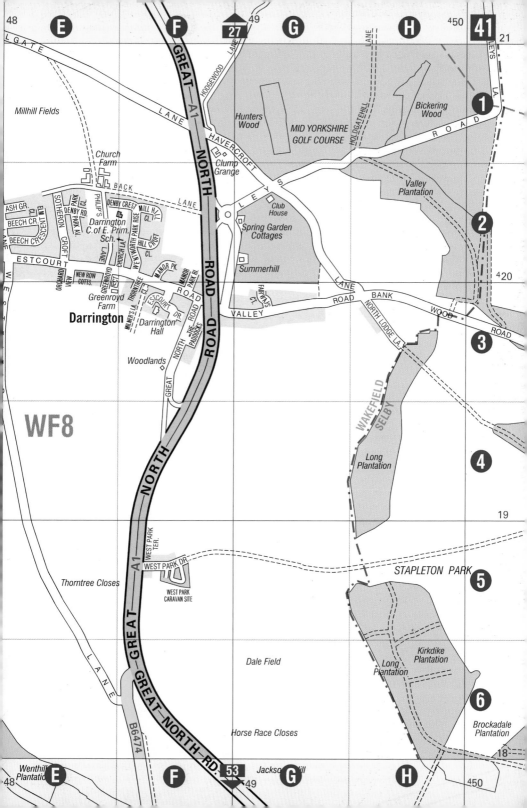

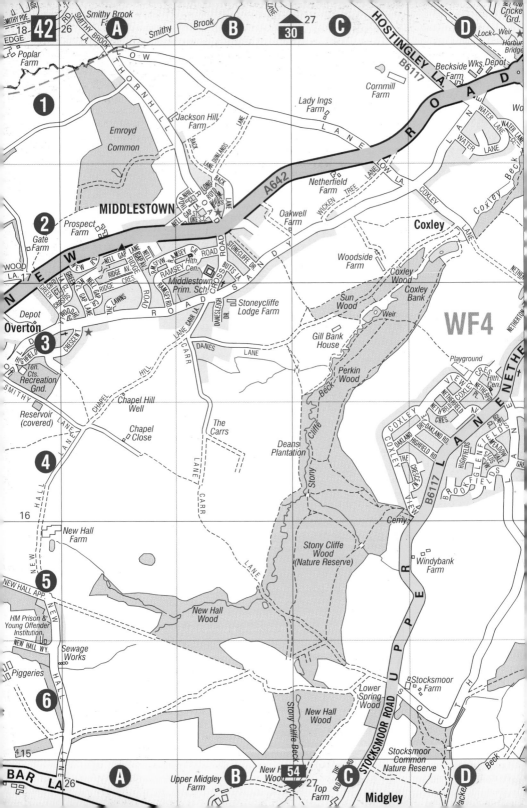

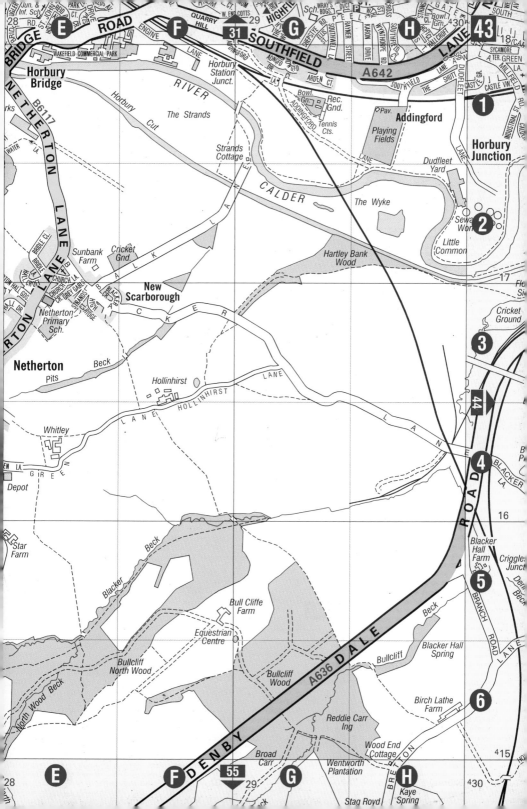

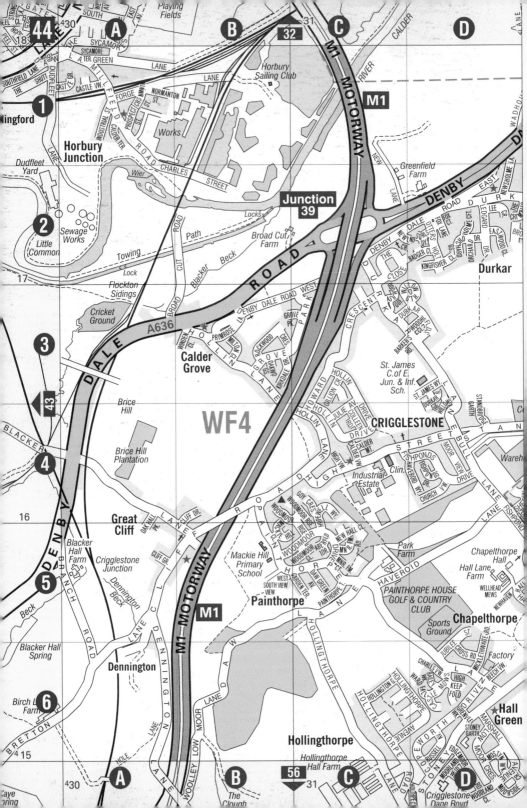

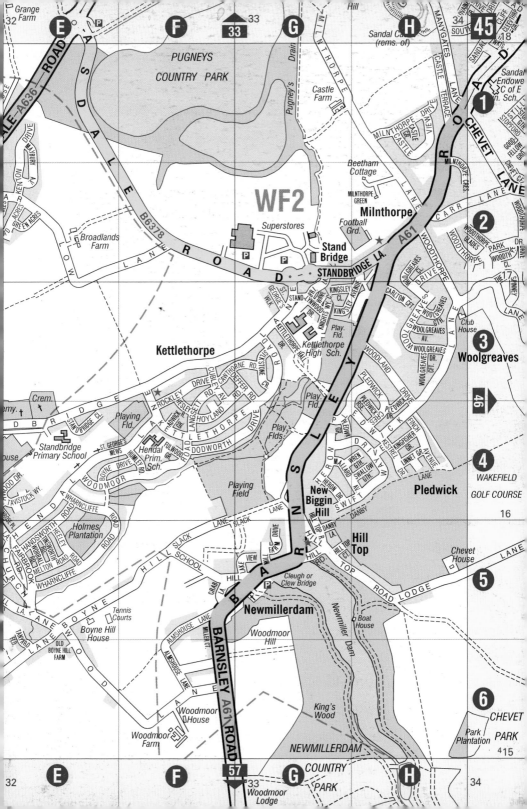

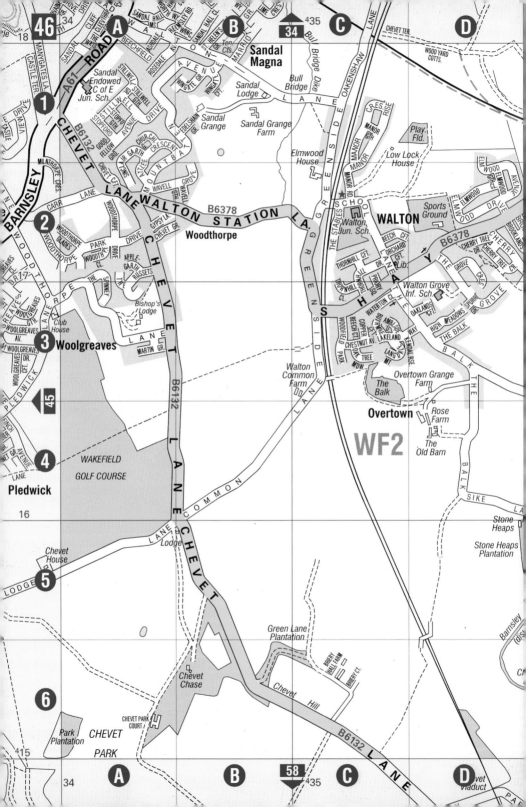

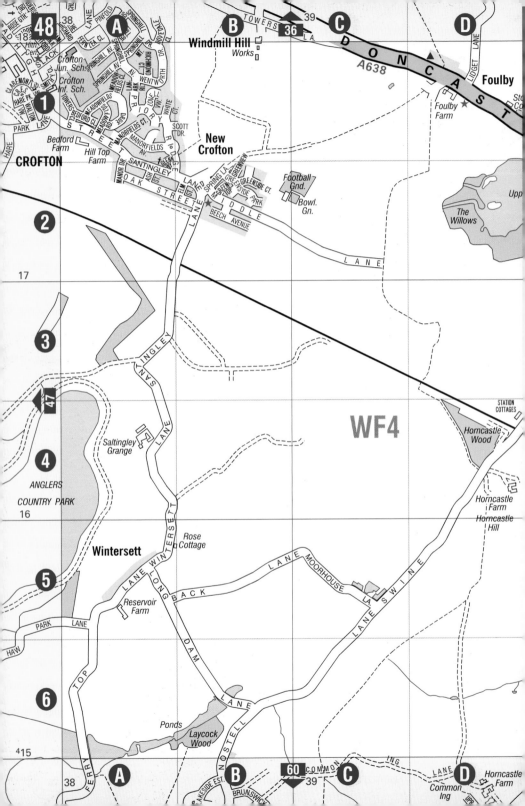

48

38

A   **B**   **C**   **D**

PINFOLD

SPRINGHILL

TOWERS LA.

39

36

DONCAST

Windmill Hill

Works

A638

Foulby

Sto
Co

Crofton
Jun. Sch.

Crofton
Inf. Sch.

Foulby
Farm

1

HARE PK. LA.

PARK LANE

BEDFORD CL

MEADOW

MANOR DR

TOWERS

WENTWORTH

WHITE CT.

RIDGE

SCOTT
TDR.

**New
Crofton**

Bedford
Farm

Hill Top
Farm

MANORFIELDS
AV

CROFTON

SANTINGLEY

OAK   STREET

ASH   ST.

BM   ST.

SPRING LA.

GREE
TOP

GREENSIDE CT.

GREEN

CLYDE

Football
Gnd.

Bowl.
Gn.

Upp

**The
Willows**

2

BEECH   AVENUE

LANE

IDDLE

LANE

17

3

SANTINGLEY

LANE

STATION
COTTAGES

47

WF4

Horncastle
Wood

4

Saltingley
Grange

Horncastle
Farm

Horncastle
Hill

**ANGLERS
COUNTRY PARK**

16

Wintersett

Rose
Cottage

LANE

WINTERSETT

LANE

MOORHOUSE

LANE

SWINE

LANE

5

LONG

BACK

Reservoir
Farm

PARK   LANE

DAM

HAW

TOP

6

LANE

Ponds

Laycock
Wood

NOSTELL

ING

LANE

Horncastle
Farm

415

38

A

LAKESIDE EST.

B

BRUNSWICK

60

39

COMMON

C

D

Common
Ing

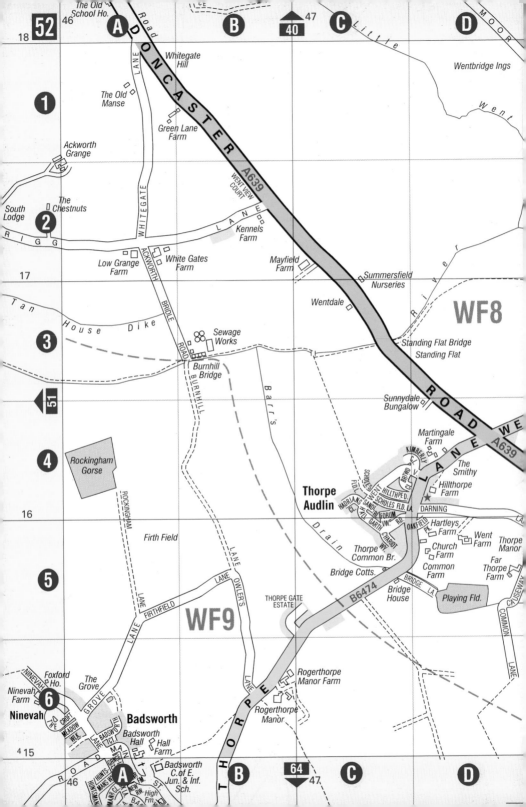

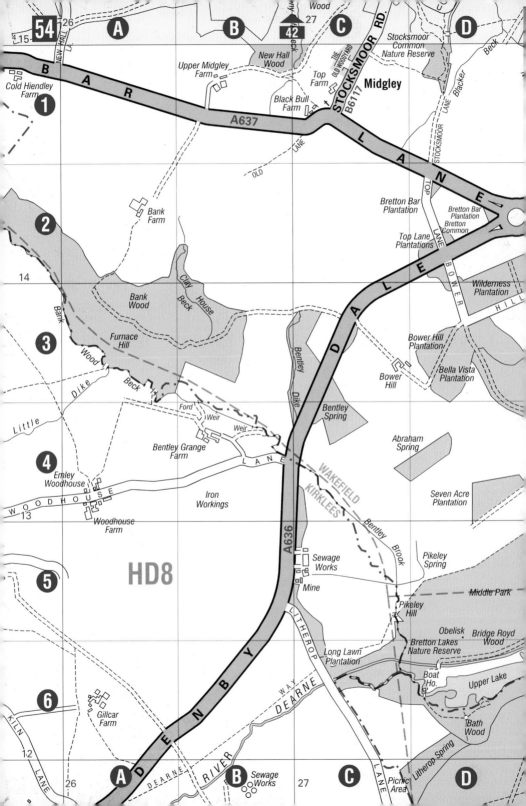

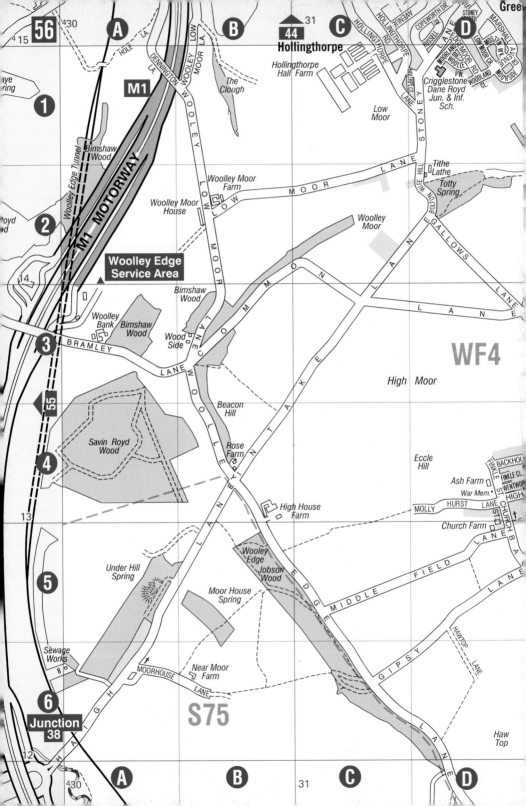

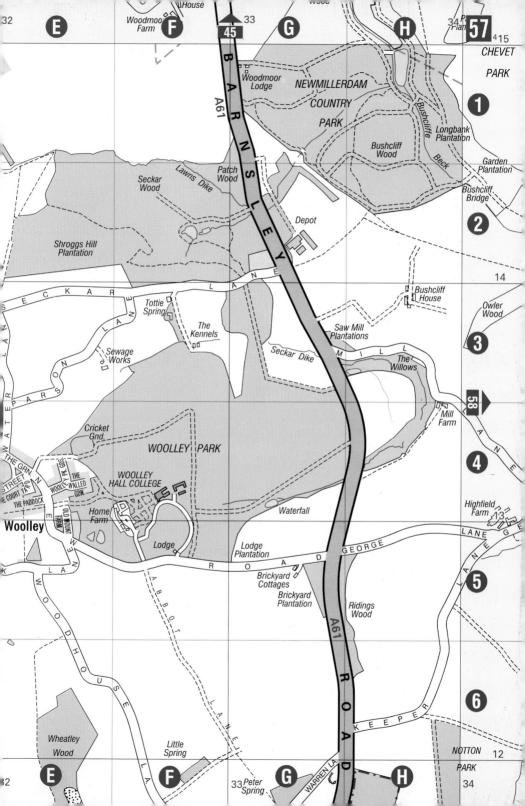

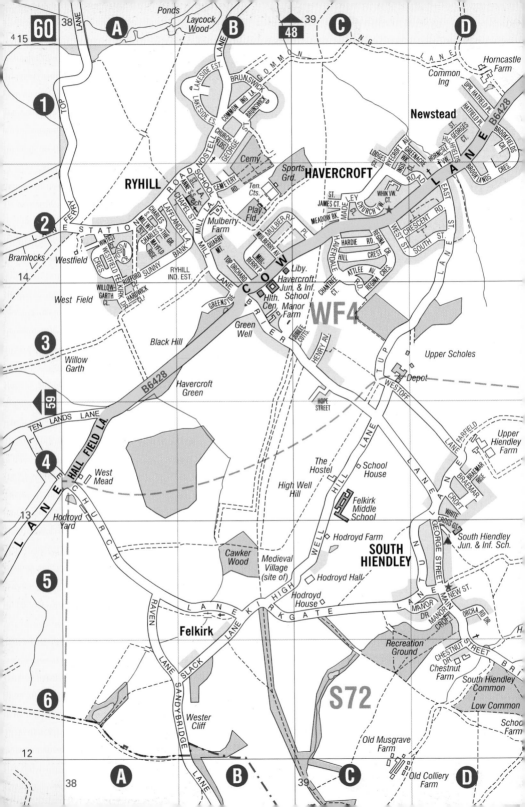

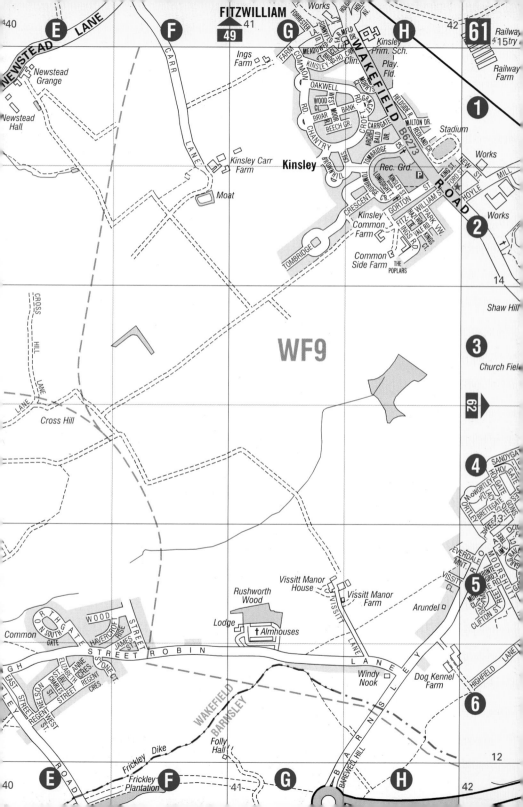

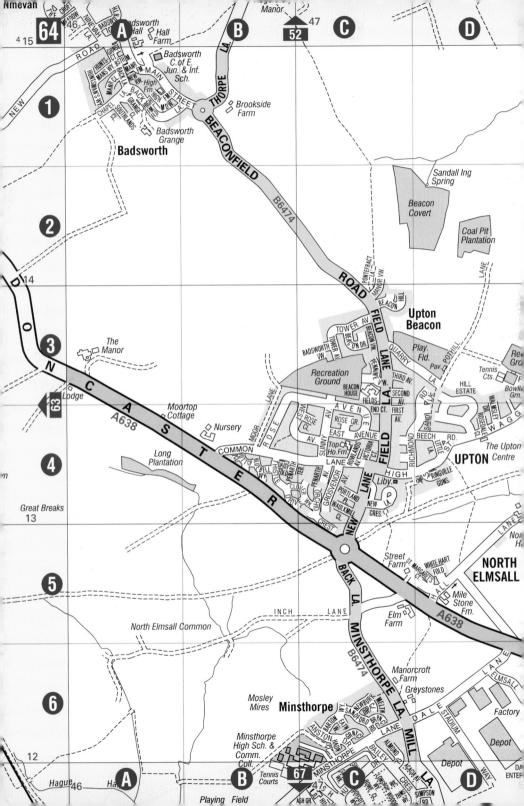

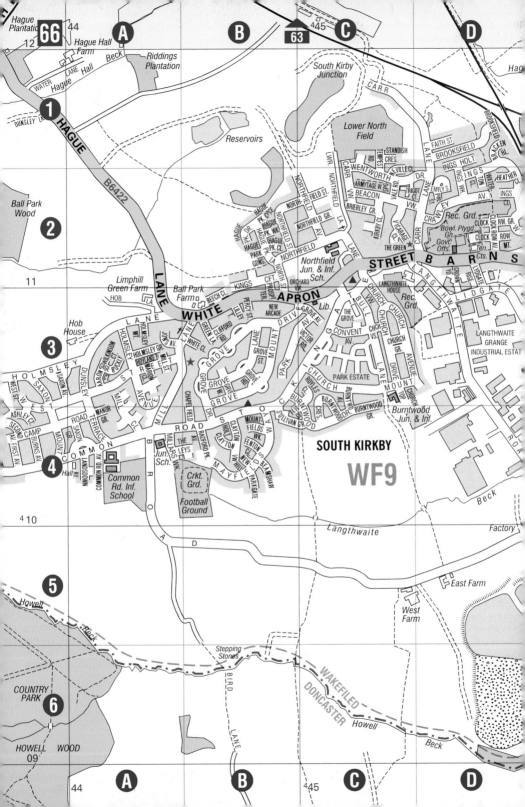

SOUTH KIRKBY

WF9

INDEX

Including Streets, Places & Areas, Industrial Estates, Selected Subsidiary Addresses
and Selected Places of Interest

HOW TO USE THIS INDEX

1. Each street name is followed by its Posttown or Postal Locality and then by its map reference; e.g. Abbot La. *Wool* —5F **57** is in the Woolley Postal Locality and is to be found in square 5F on page **57**. The page number being shown in bold type.
   A strict alphabetical order is followed in which Av., Rd., St., etc. (though abbreviated) are read in full and as part of the street name; e.g. Ashcombe Dri. appears after Ash Clo. but before Ash Cres.

2. Streets and a selection of Subsidiary names not shown on the Maps, appear in the index in Italics with the thoroughfare to which it is connected shown in brackets; e.g. *Acacia Ho. C'frd* —4C **12** (off Parklands)

3. Places and areas are shown in the index in bold type, the map reference referring to the actual map square in which the town or area is located and not to the place name; e.g. **Ackton.** —5G **23**

4. An example of a selected place of interest is ***Belle Vue Stadium.*** —*4B 34*

GENERAL ABBREVIATIONS

All : Alley	Ct : Court	Lit : Little	Rd : Road
App : Approach	Cres : Crescent	Lwr : Lower	Shop : Shopping
Arc : Arcade	Cft : Croft	Mc : Mac	S : South
Av : Avenue	Dri : Drive	Mnr : Manor	Sq : Square
Bk : Back	E : East	Mans : Mansions	Sta : Station
Boulevd : Boulevard	Embkmt : Embankment	Mkt : Market	St : Street
Bri : Bridge	Est : Estate	Mdw : Meadow	Ter : Terrace
B'way : Broadway	Fld : Field	M : Mews	Trad : Trading
Bldgs : Buildings	Gdns : Gardens	Mt : Mount	Up : Upper
Bus : Business	Gth : Garth	Mus : Museum	Va : Vale
Cvn : Caravan	Ga : Gate	N : North	Vw : View
Cen : Centre	Gt : Great	Pal : Palace	Vs : Villas
Chu : Church	Grn : Green	Pde : Parade	Vis : Visitors
Chyd : Churchyard	Gro : Grove	Pk : Park	Wlk : Walk
Circ : Circle	Ho : House	Pas : Passage	W : West
Cir : Circus	Ind : Industrial	Pl : Place	Yd : Yard
Clo : Close	Info : Information	Quad : Quadrant	
Comn : Common	Junct : Junction	Res : Residential	
Cotts : Cottages	La : Lane	Ri : Rise	

POSTTOWN AND POSTAL LOCALITY ABBREVIATIONS

Ack : Ackton	*E Hard* : East Hardwick	*Mick M* : Mickletown Methley	*Shaf* : Shafton
Ackw : Ackworth	*Eastm* : Eastmoor	*M'twn* : Middlestown	*Shar C* : Sharlston Common
Agb : Agbrigg	*Fair* : Fairburn	*Midd* : Middleton	*Shaw B* : Shaw Cross Bus. Pk.
All B : Allerton Bywater	*F'stne* : Featherstone	*Midg* : Midgeley	*S Elm* : South Elmsall
Altft : Altofts	*F'bri* : Ferrybridge	*Miln* : Milnthorpe	*S Hien* : South Hiendley
Althpe : Alverthorpe	*Fitz* : Fitzwilliam	*M'hse* : Moorhouse	*S Kirk* : South Kirkby
Bads : Badsworth	*Floc* : Flockton	*Morl* : Morley	*Stan* : Stanley (nr. Ilkeston)
Bat : Batley	*Foul* : Foulby	*Neth* : Netherton	*Stanl* : Stanley (nr. Wakefield)
Bret : Bretton	*Fry* : Fryston	*New C* : New Crofton	*Stap* : Stapleton
B'ton : Brotherton	*Glass* : Glasshoughton	*N'dam* : Newmillerdam	*S'hse* : Streethouse
Byr : Byram	*Haig* : Haigh	*New S* : New Sharlston	*Thpe* : Thorpe (nr. Ashbourne)
Cald G : Calder Grove	*Hall G* : Hall Green	*N Hill* : Newton Hill	*Thor* : Thorpe (nr. Wakefield)
C'ton : Carleton	*Hamp* : Hampole	*Norm* : Normanton (nr. Bottesford)	*Thpe A* : Thorpe Audlin
Carl : Carlton	*H'cft* : Havercroft	*Nor* : Normanton (nr. Wakefield)	*Ting* : Tingley
Carr G : Carr Gate	*H'th* : Heath	*Nor I* : Normanton Ind. Est.	*Upt* : Upton
C'frd : Castleford	*Hems* : Hemsworth	*N Elm* : North Elmsall	*Wake* : Wakefield
C'thpe : Chapelthorpe	*H'town* : Hightown	*Nost* : Nostell	*Wake B* : Wakefield 41 Bus. Pk.
Chick : Chickenley	*Horb* : Horbury	*Not* : Notton	*Wake I* : Wakefield 41 Ind. Est.
Clay : Clayton	*Kin* : Kinsley	*Old Sn* : Old Snydale	*Walt* : Walton (nr. Chesterfield)
Clay W : Clayton West	*K'gte* : Kirkhamgate	*Oss* : Ossett	*W'ton* : Walton (nr. Wakefield)
Crid S : Cridling Stubbs	*K S'ton* : Kirk Smeaton	*Oult* : Oulton	*Warm* : Warmfield
Crig : Crigglestone	*K'thpe* : Kirkthorpe	*Out* : Outwood	*Went* : Wentbridge
Croft : Crofton	*Knot* : Knottingley	*Ove* : Overton	*W Har* : West Hardwick
Cuts : Cutsyke	*Lang G* : Langthwaite Grange	*Pon* : Pontefract	*W'wood* : Whitwood
D'ton : Darrington	Ind. Est.	*Rob H* : Robin Hood	*W'wd M* : Whitwood Mere
Dew : Dewsbury	*Leeds* : Leeds	*Roys* : Royston	*W'ford* : Woodlesford
Dur : Durkar	*Loft* : Lofthouse	*Ryh* : Ryhill	*Wool* : Woolley
Earl : Earlsheaton	*Loft G* : Lofthouse Gate	*S'dal* : Sandal	*Wrag* : Wragby
E Ard : East Ardsley	*Meth* : Methley	*Sandt* : Sandtoft	*Wren* : Wrenthorpe

INDEX

A1 Bus. Pk. *Knot* —2E **27**
Aaron Wilkinson Ct. *S Kirk* —3A **66**
Abbot La. *Wool* —5F **57**
Abbott Ter. *Wake* —4H **33**
Aberfield Dri. *Crig* —5C **44**
Aberford Rd. *Wake & Stan* —5A **20**

Acacia Av. *S Elm* —1G **67**
Acacia Clo. *C'frd* —5H **13**
Acacia Dri. *C'frd* —5G **13**
Acacia Grn. *Pon* —4B **26**
Acacia Ho. C'frd —4C **12**
  (off Parklands)

Acacia Wlk. *Knot* —2F **27**
Ackton. —5G **23**
Ackton Clo. *Ack* —4G **23**
Ackton Hall Cres. *Ack* —5G **23**
Ackton La. *Ack* —5G **23**
Ackton Pasture La. *C'frd* —6F **11**

Ackworth Bridle Rd. *E Hard*
  —2A **52**
Ackworth Ho. Clo. *Ackw* —1E **51**
Ackworth Lodge. *Ackw* —1E **51**
Ackworth Moor Top. —5D **50**
Ackworth Rd. *F'stne* —3B **38**

Ackworth Rd. *Pon* —3F **39**
Acme Ter. *Wake* —4H **33**
Acres Rd. *Loft* —3G **7**
Acute Ter. *Wake* —1C **32**
Addingford. —1H 43
Addingford Clo. *Horb* —1G **43**
Addingford Dri. *Horb* —1G **43**
Addingford La. *Horb* —1G **43**
Addison Av. *Nor* —4C **22**
Addison Ct. *Horb* —5A **32**
Addy Cres. *S Elm* —2F **67**
Adowsley Clo. *Ackw* —3C **50**
Adwick Gro. *Wake* —4F **45**
Agbrigg. —5A 34
Agbrigg Gro. *Wake* —6A **34**
Agbrigg Rd. *Wake* —5A **34**
Agincourt Dri. *Nor* —1G **21**
Ainsdale Clo. *Roys* —6D **58**
Ainsdale Rd. *Roys* —6D **58**
Airedale. —4F 13
Airedale Dri. *C'frd* —1G **13**
Airedale Heights. *Wake* —3A **32**
Airedale Rd. *C'frd* —4F **13**
Aire St. *C'frd* —3B **12**
Aire St. *Knot* —1A **28**
 (in two parts)
Aire Ter. *C'frd* —3B **12**
Aire Vw. *B'ton* —4E **15**
Aire Vw. *Knot* —6G **15**
Aire Wlk. *Knot* —1A **28**
Aketon Dri. *C'frd* —5A **12**
Aketon Rd. *C'frd* —6H **11**
Albany Ct. *Pon* —5F **25**
Albany Cres. *S Elm* —3F **67**
Albany Pl. *S Elm* —3F **67**
Albany St. *S Elm* —3F **67**
Albert St. *C'frd* —3B **12**
Albert St. *F'stne* —2B **38**
 (in two parts)
Albert St. *Nor* —1C **22**
Albion Ct. *Wake* —1G **33**
Albion Cft. *Oss* —1E **31**
Albion Pl. *S Elm* —2G **67**
Albion Sq. *Wake* —6C **18**
Albion St. *C'frd* —4A **12**
Albion St. *Fitz* —6G **49**
Albion St. *Wake* —6G **19**
Alden Av. *Morl* —1A **4**
Alden Clo. *Morl* —1A **4**
Alden Ct. *Morl* —1A **4**
Alden Cres. *Pon* —6F **25**
Alden Fold. *Morl* —1A **4**
Alder Av. *Wake* —5E **19**
Alder Gro. *Nor* —6B **22**
Alderney Rd. *Dew* —3A **16**
Alexander Cres. *F'stne* —6B **24**
Alexander Rd. *F'stne* —1B **38**
Alexandra Dri. *Nor* —5B **22**
Allan Haigh Clo. *Wake* —5B **18**
Allison St. *F'stne* —2A **38**
Allison Ter. *K'gte* —3H **17**
Allott Clo. *S Elm* —2F **67**
All Saint's Gro. *Pon* —5A **26**
 (off Baghill La.)
Almond Clo. *S Elm* —6C **64**
Almshouse La. *N'dam* —6F **45**
Almshouse La. *Wake* —1G **33**
Alpine Ct. *Hems* —3B **62**
Alpine Vw. *Hems* —3B **62**
Altinkool St. *Wake* —5A **34**
Altofts. —2H 21
Altofts Hall Rd. *Nor* —1H **21**
Altofts La. *C'frd* —5D **10**
Altofts Lodge Dri. *Nor* —2G **21**
Altofts Rd. *Nor* —3A **22**
Alverthorpe. —5C 18
Alverthorpe Rd. *Wake* —6D **18**
Ambler Ct. *C'frd* —4B **12**
Ambleside Dri. *W'ton* —3C **46**
Ambleside Rd. *C'frd* —2A **14**

Anaheim Dri. *Out* —6H **7**
Anderson Ct. *C'frd* —6G **13**
Anderson St. *Pon* —4G **25**
Anderson St. *Wake* —4A **34**
 (WF1)
Anderson St. *Wake* —1E **33**
 (WF2)
Anderton St. *Wake* —4A **34**
Andrew Cres. *Wake* —6F **7**
Andrews Gro. *Ackw* —3D **50**
Andrew St. *F'stne* —3A **38**
Andrew St. *Wake* —5F **19**
Anne Cres. *S Hien* —6E **61**
Annie St. *Fitz* —5G **49**
Annie St. *Wake* —1F **19**
Anston Dri. *S Elm* —6C **64**
Applegarth. *S'dal* —2A **46**
Applehaigh Ct. *Not* —6C **58**
Applehaigh La. *Not* —5C **58**
Applehaigh Vw. *Roys* —6C **58**
Appleshawn Cres. *Wren* —2D **18**
Apple Tree Clo. *E Ard* —3A **6**
Apple Tree Clo. *Pon* —1F **39**
Apple Tree Ct. *E Ard* —4A **6**
Apple Tree Rd. *F'stne* —3C **38**
Arcade, The. *Knot* —1G **27**
Archer St. *C'frd* —5A **12**
Arden Ct. *Horb* —1G **43**
Argyle Rd. *Knot* —6E **15**
Argyle St. *Wake* —3A **34**
Argyll Av. *Pon* —5F **25**
Arlington Gro. *C'frd* —4D **12**
Arlington St. *Wake* —5F **19**
Armitage Bldgs. *Dew* —5B **4**
Armitage Rd. *Wake* —5B **18**
Armitage St. *C'frd* —3A **12**
Armstrong Clo. *Nor* —1A **22**
Armstrong Ter. *Pon* —6F **25**
Armytage Wlk. *S Kirk* —2C **66**
Arncliffe Dri. *Knot* —1D **26**
Arncliffe Rd. *Wake* —5A **20**
Arnside Clo. *C'frd* —3H **13**
Arnside Cres. *C'frd* —3H **13**
Arthington Clo. *Ting* —4D **4**
Arthur St. *Wake* —4A **34**
Arundel Clo. *Wake* —4A **34**
Arundel St. *Wake* —6G **19**
Ascot Gdns. *Leeds* —1B **6**
Asdale Rd. *Wake* —1E **45**
Ashbourne Dri. *Pon* —2H **39**
Ashbrook Clo. *Oss* —6D **16**
Ashbury Chase. *Out* —6E **7**
Ash Clo. *Oss* —2D **30**
Ashcombe Dri. *Knot* —2H **27**
Ash Cres. *Stan* —1B **20**
Ashcroft Av. *F'stne* —3A **38**
Ashcroft Rd. *F'stne* —3A **38**
Ashdale. *Wake* —6A **34**
Ashdene App. *Croft* —6H **35**
Ashdene Av. *Croft* —6H **35**
Ashdene Cres. *Croft* —6H **35**
Ashdene Dri. *Croft* —6H **35**
Ashdene Gth. *Croft* —6H **35**
Ashdene Gro. *Pon* —1B **26**
Ashdown Rd. *Wake* —4A **34**
Ashfield. —2B 22
Ashfield Ho. *Hems* —5B **62**
Ashfield Rd. *Hems* —6B **62**
Ashfield St. *Nor* —2C **22**
Ashfield Ter. *Thpe* —1D **6**
Ashgap La. *Nor* —3B **22**
Ash Grn. *Pon* —4B **26**
Ash Gro. *D'ton* —2E **41**
Ash Gro. *S Elm* —1G **67**
Ash Gro. *Stan* —3B **20**
Ash Gro. Ho. *S Elm* —1G **67**
Ash Hill. *Pon* —4A **26**
 (off Castle Gth.)
Ash Lea. *Wake* —3B **20**

Ashleigh Av. *Pon* —6H **25**
Ashleigh Av. *Wake* —2C **32**
Ashleigh Gdns. *Oss* —5C **16**
Ashley Clo. *Wren* —3D **18**
Ashley Ct. *S Kirk* —4A **66**
Ashley Ind. Est. *Oss* —6E **17**
Ashmore Dri. *Oss* —4C **16**
Ash St. *New C* —2A **48**
Ash St. *Stan* —3B **20**
Ashton Cres. *Carl* —1H **7**
Ashton Rd. *C'frd* —5B **12**
Ashton St. *C'frd* —4B **12**
Ash Tree Gdns. *Nor* —2H **21**
Ash Vw. *E Ard* —4A **6**
Ashwood Grange. *Dur* —3C **44**
Ashwood Gro. *Horb* —5A **32**
Ashworth Rd. *Pon* —2A **26**
Askam Av. *Upt* —4G **65**
Askey Cres. *Morl* —1B **4**
Askham Av. *Upt* —4G **65**
Askham Rd. *C'frd* —2H **13**
Aspen Clo. *Wake* —5E **19**
Aspen Ct. *Ting* —2C **4**
Assembly St. *Nor* —3A **22**
Aston Ct. *Oss* —2G **31**
Athold Dri. *Oss* —2F **31**
Athold St. *Oss* —2F **31**
Atkinson Ct. *Nor* —4A **22**
Atkinson La. *Pon* —3B **26**
Attlee Av. *H'cft* —2C **60**
Attlee Cres. *Wake* —2A **46**
Attlee Gro. *Wake* —1G **19**
Attlee St. *Nor* —5B **22**
Audrey St. *Oss* —3E **31**
Audsley's Yd. *Horb* —6E **31**
Augusta Ct. *Wake* —2C **32**
Augusta Dri. *Norm* —5D **22**
Austin Rd. *C'frd* —3H **13**
Auty Cres. *Stan* —6B **8**
Auty M. *Stan* —6B **8**
Avens Clo. *Pon* —6H **25**
Avenue Rd. *Wake* —6A **34**
Avenue Ter. *Pon* —5E **25**
Avenue, The. *Bret* —5C **55**
Avenue, The. *Croft* —6G **35**
Avenue, The. *Haig* —5E **55**
Avenue, The. *Ting* —3G **5**
Avenue, The. *Wake* —1F **19**
Avison Yd. *Wake* —1H **33**
Avon Ct. *Oss* —2C **30**
Avon Cft. *Oss* —2C **30**
Avondale St. *Wake* —3G **33**
Avondale Way. *Wake* —3G **33**
Avon Wlk. *F'stne* —6A **24**
Aysgarth Clo. *Wake* —4B **32**
Aysgarth Dri. *Wake* —4B **32**

Bk. Anderton St. *Wake* —4A **34**
Bk. Bank St. *C'frd* —3B **12**
Bk. Bowman St. *Wake* —4B **34**
Bk. Church Vw. *Wake* —5B **34**
Bk. Duke of York St. *Wake* —6H **19**
Bk. Duke St. *F'stne* —1A **38**
Bk. Dunbar St. *Wake* —3B **34**
 (off Dunbar St.)
Bk. Garden St. *C'frd* —5B **12**
Bk. Garden St. *Wake* —1F **33**
Bk. Gordon St. *Wake* —5B **34**
Bk. Grantley St. *Wake* —1H **33**
Bk. Hambleton St. *Wake* —6G **19**
 (off Tavora St.)
Bk. Hatfield St. *Wake* —6G **19**
Backhouse La. *Wool* —4D **56**
Back La. *Bads* —1A **64**
Back La. *D'ton* —2F **41**
Back La. *Loft* —2G **7**
Back La. *M'twn* —1B **42**
Back La. *N Elm* —5C **64**
Back La. *Oss* —2D **30**

Back La. *Ryh* —5B **48**
 (nr. Long Dam La.)
Back La. *Ryh* —2F **59**
 (nr. Ryehill Pits La.)
Back La. *Shar C* —5C **36**
Back La. *Wake* —1F **33**
Back La. *Wool* —5D **56**
Bk. Mary St. *Wake* —3C **6**
Bk. Montague St. *Wake* —4B **34**
 (off Montague St.)
Bk. Northgate. *Pon* —4H **25**
Bk. Oakley St. *Wake* —2C **6**
Bk. Oxford St. *Wake* —3C **6**
Bk. Pawson St. *Wake* —3C **6**
Bk. Poplar Ter. *Roys* —6G **59**
Bk. Regent St. *Wake* —4A **34**
Back St. *Pon* —5G **25**
Bk. Wesley St. *C'frd* —3B **12**
Bk. Wood St. *Wake* —3B **6**
Bacon Av. *Nor* —2C **22**
Baden Powell Cres. *Pon* —6H **25**
Badger Clo. *Dur* —2D **44**
Badsworth. —1A 64
Badsworth Ct. *Bads* —6A **52**
Badsworth M. *Bads* —1A **64**
Badsworth Vw. *Upt* —3C **64**
Baghill. —5D 4
Baghill Ct. *Pon* —5B **26**
Baghill Grn. *Ting* —5D **4**
Baghill La. *Pon* —4A **26**
Baghill Rd. *Ting* —5D **4**
Bailey Cres. *C'frd* —6C **64**
Baileygate Ct. *Pon* —4H **25**
 (off Bk. Northgate)
Bailey Wlk. *C'thpe* —6D **44**
Baker St. *Stan* —6H **7**
Balk Av. *Wake* —3C **20**
Balk Cres. *Stan* —4B **20**
Balk La. *Neth* —2F **43**
Balk La. *Wake* —3C **20**
Balk, The. *W'ton* —3C **46**
Balmoral Clo. *Pon* —2F **39**
Balmoral Dri. *Knot* —1E **29**
Balne Av. *Wake* —6E **19**
Balne La. *Wake* —6D **18**
Bamborough St. *Wake* —4B **34**
Banbury Way. *Pon* —2A **26**
Bankfield Clo. *Oss* —3F **31**
Bankfield Ct. *Wren* —2D **18**
Bankfield Dri. *Wren* —2D **18**
Bank Gro. *Dew* —6A **16**
Banks Av. *Ackw* —4C **50**
Banks Av. *Pon* —5G **25**
Banks Gth. *Knot* —1H **27**
Banks La. *Knot* —1H **27**
Banks Mt. *Pon* —5G **25**
Bank St. *C'frd* —3B **12**
Bank St. *Hems* —4B **62**
Bank St. *Horb* —6G **31**
Bank St. *Oss* —2D **30**
Bank Vw. *Wake* —1G **33**
Bank Vw. *Dew* —6A **16**
Bank Wood Rd. *Stap* —3H **41**
Bank Yd. *Oss* —2D **30**
Bannockburn Way. *Nor* —1G **21**
Baptist La. *Oss* —3H **31**
Barden Rd. *Wake* —1B **34**
Bardwell Ct. *Stan* —6A **8**
Barewell Hill. *Brier* —6H **61**
Barham Gro. *C'frd* —3B **12**
Barker Rd. *Horb* —5F **31**
Barker's Rd. *Dur* —3C **44**
Barker St. *Stan* —5D **8**
Bar La. *Midg* —1A **54**
Bar La. *Wake* —4H **19**
Barleycorn Clo. *Wake* —4A **20**
Barleyfield Clo. *Wake* —5A **20**
Barmby Clo. *Oss* —3F **31**
Barmby Cres. *Oss* —3G **31**

Barnes Av. *Wake* —2E **19**
Barnes Rd. *C'frd* —5B **12**
Barnet Gro. *Morl* —1A **4**
Barnsdale Est. *C'frd* —5H **11**
Barnsdale Rd. *All B* —1B **12**
Barnsdale Way. *Upt* —4G **65**
Barnsley Rd. *Ackw* —5E **51**
Barnsley Rd. *Brier & Hems*
—6H **61**
Barnsley Rd. *N'dam* —5F **45**
Barnsley Rd. *S Kirk* —2D **66**
Barnsley Rd. *Wool* —1G **57**
Barnstone Va. *Wake* —5A **20**
Barnswick Clo. *Pon* —1H **39**
Barratt's Rd. *Wake* —5G **19**
Barstow Fall. *Pon* —2A **26**
Barstow Sq. *Wake* —1G **33**
Barton Way. *S Elm* —6C **64**
Basford Ct. *Wake* —2E **33**
Basford St. *Wake* —2E **33**
Bassenthwaite Wlk. *Knot* —3G **27**
Bates La. *Pon* —2B **40**
Batley Rd. *Ting & K'gte* —6D **4**
Batley Rd. *Wren* —4A **18**
Baxtergate. *Pon* —5H **25**
Baylee St. *Hems* —5C **62**
Beacon Av. *Morl* —1B **4**
Beacon Dri. *Upt* —3C **64**
Beaconfield Rd. *Pon* —1B **64**
Beacon Gro. *Morl* —1B **4**
Beacon Hill. *Upt* —3C **64**
Beacon Ho. *Upt* —3C **64**
Beacon Vw. *S Kirk* —2C **66**
Beacon Vw. *Upt* —3C **64**
Beal La. *Knot* —4F **29**
Beamshaw. *S Kirk* —4B **66**
Beancroft Rd. *C'frd* —4B **12**
Beancroft St. *C'frd* —5A **12**
Beast Fair. *Pon* —5G **25**
Beatrice Taylor Ho. Pon —4H **25**
(off Horse Fair)
Beaulah Ct. *Knot* —2A **28**
Beaumont Av. *S Elm* —2F **67**
Beaumont Clo. *Stan* —6B **8**
Beaumont Dri. *Bret* —4E **55**
(in two parts)
Beaumont Dri. *Haig* —4E **55**
Beaumont Dri. *Stan* —6B **8**
Beck Bottom. —2A 18
Beck Bottom. *K'gte* —2A **18**
Beckbridge Ct. *Nor* —2C **22**
Beckbridge Grn. *Nor* —2C **22**
Beckbridge La. *Nor* —3C **22**
(in four parts)
Beckbridge Rd. *Nor I* —2C **22**
Beckbridge Way. *Nor* —3C **22**
(in two parts)
Becket La. *Loft* —1G **7**
Beckett Clo. *Horb* —5A **32**
Beckley Rd. *Wake* —1D **32**
Beck Ri. *Hems* —4B **62**
Becks Ct. *Dew* —1A **30**
Beck Vw. *Not* —5C **58**
Bedale. *Ting* —3D **4**
Bedale Dri. *Knot* —3G **27**
Bede Ct. *Wake* —5G **19**
Bedford Clo. *F'stne* —3B **38**
Bedford Clo. *Wake* —1A **48**
Bedford Ct. *F'stne* —3B **38**
Beech Av. *New C* —2B **48**
Beech Av. *Stan* —1B **20**
Beech Av. *Wake* —6D **18**
Beech Clo. *S Kirk* —3B **66**
Beech Ct. *C'frd* —5C **12**
Beech Ct. *Oss* —1C **30**
Beech Cres. *C'frd* —5H **13**
Beech Cres. *D'ton* —2E **41**
Beech Cft. *Loft* —2H **7**
Beech Cft. *Pon* —2A **26**
Beech Cft. *W'ton* —2C **46**
Beech Dri. *Ackw* —6E **39**

Beeches, The. *Shar C* —3B **36**
Beechfield. *Wake* —6A **34**
Beechfield Dri. *Shar C* —3B **36**
Beech Gdns. *C'frd* —5H **13**
Beech Gro. *F'stne* —3C **38**
Beech Gro. *Kin* —1G **61**
Beech Gro. *Nor* —5A **22**
Beech Hill. *Pon* —4A **26**
Beechnut La. *Pon* —4G **25**
Beech Rd. *Upt* —4D **64**
Beech St. *Pon* —6H **25**
Beech St. *S Elm* —4E **67**
Beech St. *Ting* —2E **5**
Beech Tree Rd. *F'stne* —3C **38**
Beech Vw. *Hall G* —6D **44**
Beechwood. *Pon* —6F **25**
Beechwood Av. *Pon* —5F **25**
Beechwood Av. *Wake* —1B **32**
Beechwood Cres. *Hems* —5A **62**
Beechwood Cres. *Pon* —6F **25**
Beechwood Dale. *Ackw* —2F **51**
Beechwood Gro. *Horb* —6A **32**
Beechwood Mt. *Hems* —5B **62**
Beggarington Hill. —5D 4
Belfry Ct. *Wake* —6G **7**
Belfry Way. *Norm* —4D **22**
Belgrave Av. *Oss* —3E **31**
Belgrave Mt. *Wake* —5H **19**
Belgrave St. *Oss* —2E **31**
Belgrave Ter. *Wake* —5H **19**
Belgravia Rd. *Wake* —5F **19**
Belk's Ct. Pon —5G **25**
(off Liquorice Way)
Belle Isle Av. *Wake* —3H **33**
Belle Isle Cres. *Wake* —3H **33**
Belle Isle Dri. *Wake* —3H **33**
Belle Vue. —3B 34
Belle Vue Rd. *Wake* —4A **34**
Belle Vue Stadium. —4B 34
Bell La. *Ackw* —4C **50**
Bellmont Cres. *Hems* —5C **62**
Bell St. *Upt* —3G **65**
Bell St. *Wake* —6F **19**
Belmont. *B'ton* —2E **5**
Belmont St. *S'hse* —2C **36**
Belmont St. *Wake* —5F **19**
Belmont Ter. *Thpe* —1D **6**
Belmont Way. *S Elm* —2H **67**
Belvoir Dri. *Knot* —1G **27**
Bembridge Ct. *Wake* —2C **32**
Bembridge Ho. *Wake* —2C **32**
Benjamin St. *Wake* —6E **19**
Benjamin Sykes Way. *Wake*
—3A **32**
Bennett Av. *Horb* —5A **32**
Benson Gdns. *Nor* —2C **22**
Benson La. *Nor* —1C **22**
Bentley Rd. *Wake* —3C **32**
Benton Cres. *Horb* —5A **32**
Berne Gro. *Wake* —6G **19**
Berners St. *Wake* —1H **33**
Berryfield Gth. *Oss* —5D **16**
Berry La. *Horb* —6H **31**
Berry's Yd. *Horb* —5H **31**
Bevan Av. *Nor* —5B **22**
Bevan Pl. *Wake* —3A **32**
Beverley Dri. *Dew* —5A **16**
Beverley Gth. *Ackw* —4E **51**
Bevin Clo. *Wake* —6G **7**
Bevin Cres. *Wake* —6G **7**
Bevitt St. *Wake* —4A **34**
Bexhill Clo. *Pon* —3B **26**
Bich Ho. C'frd —4C **12**
(off Parklands)
Bidder Dri. *E Ard* —2A **6**
Billingham Clo. *Wake* —5B **18**
Binks St. *Wake* —1G **19**
Birch Ct. *Morl* —1B **4**
Birchen Av. *Oss* —2C **30**
Birchen Hills. *Oss* —2C **30**

Birch Grn. *Pon* —4B **26**
Birch Gro. *C'frd* —5G **13**
Birch Rd. *Nor* —6B **22**
Birch St. *Morl* —1B **4**
Birch St. *Wake* —3A **34**
Birchtree Clo. *Wake* —5B **20**
Birchtree Wlk. *Knot* —2F **27**
Bird La. *Clay* —6B **66**
Birkdale Rd. *Roys* —6D **58**
Birkhill. *C'frd* —3G **13**
Birks. —1A 4
Birkwood Av. *Shar C* —5B **36**
Birkwood Rd. *Nor* —2D **20**
Bishop Way. *Ting* —3F **5**
Blackburn Ct. *Pon* —5G **25**
Blackburn La. *Knot* —3C **28**
Blackburn's Yd. *C'frd* —3B **12**
Blacker Cres. *Neth* —3E **43**
Blacker La. *Horb* —3E **43**
Black Gates. —2F 5
Blackgates Ct. *Ting* —3F **5**
Blackgates Cres. *Ting* —3F **5**
Blackgates Dri. *Ting* —3F **5**
Blackgates Fold. *Ting* —3F **5**
Blackgates Ri. *Ting* —3F **5**
Blackgates Rd. *Wake* —3F **5**
Black Rd. *Wake & Heath* —4C **34**
Blackthorn Way. *Wake* —5E **19**
Black Wlk. *Pon* —3H **25**
Blakeley Gro. *Wake* —1D **32**
Blakey Rd. *Wake* —5D **18**
Bland's Clo. *C'frd* —4B **12**
Bleakley Av. *Not* —5D **58**
Bleakley La. *Not* —6D **58**
Bleakley Ter. *Not* —5D **58**
Bleasdale Av. *Knot* —6H **15**
Blenheim Clo. *Knot* —1E **27**
Blenheim Rd. *Wake* —5F **19**
Blenkinsop Ct. Morl —1B **4**
(off Britannia Rd.)
Blind La. *E Ard* —6G **5**
Blind La. *Ryh* —2G **59**
Bluebell Clo. *Pon* —6H **25**
Bluebell Way. *Upt* —4B **64**
Blue Butts. *Oss* —2C **30**
Blundell Rd. *S Elm* —2E **67**
Boat La. *Meth* —1G **11**
Bodmin Dri. *Nor* —2B **22**
Boldgrove St. *Dew* —1A **30**
Bolton Wife Hill. *Wool* —2D **56**
Bolus Clo. *Wake* —1G **19**
Bolus La. *Wake* —1F **19**
Bondgate. *Pon* —3B **26**
Bond St. *Pon* —3A **26**
Bond St. *Wake* —6F **19**
Boothroyds Way. *F'stne* —1G **37**
Booths, The. *Pon* —4A **26**
Booth St. *C'frd* —2E **13**
Borough Corner. —2D 32
Borough Rd. *Wake* —6G **19**
Borrowdale Dri. *C'frd* —2H **13**
Borrowdale Rd. *Wake* —6C **18**
Boston St. *C'frd* —3C **12**
Bosworth Av. *Nor* —1G **21**
Bottom Boat. —5D 8
Bottom Boat Rd. *Stan* —5D **8**
(in two parts)
Boundary La. *Wake & Nor*
—6G **21**
Bower Hill La. *Bret* —3D **54**
Bowling Av. *Wake* —3D **18**
Bowling La. *Wren* —3D **18**
Bowman St. *Wake* —5B **34**
Bowness Av. *C'frd* —2A **14**
Box La. *Pon* —3A **26**
Boycott Way. *S Elm* —1G **67**
Boyne Dri. *Wake* —4E **45**
Boyne Hill. *C'thpe* —5E **45**
Brackenhill. —4B 50
Bracken Hill. *Ackw* —3B **50**

Bracken Hill. *S Kirk* —1D **66**
Brackenwood Ct. *Out* —6H **7**
Brackenwood Rd. *Out* —6H **7**
Bradford Rd. *Wake* —2D **4**
Bradford Rd. *Wren & Wake* —6C **6**
Bradley Av. *C'frd* —3A **12**
Bradley Carr Ter. *S Elm* —5F **67**
Bradley St. *C'frd* —3B **12**
Bradwell La. *Oss* —2E **31**
Braemar Cft. *S Hien* —4D **60**
Braemar Ri. *S Hien* —4D **60**
Bramble Clo. *Pon* —1F **39**
Bramby Fold. *Oss* —3F **31**
Bramham Rd. *C'frd* —5G **11**
Bramley Cres. *Wake* —1F **19**
Bramley La. *Wool* —3G **55**
Brampton Ct. *S Elm* —6C **64**
Branch Rd. *Cald G* —5A **44**
Brand Hill App. *Croft* —6G **35**
Brand Hill Dri. *Croft* —6G **35**
Brandy Carr. —1B 18
Brandy Carr Rd. *K'gte* —3H **17**
Bransdale Av. *Nor* —1A **22**
Bransdale Clo. *Nor* —1A **22**
Bransdale M. *Nor* —1A **22**
Bransdale Wlk. *Nor* —1A **22**
Branstone Gro. *Oss* —4C **16**
Brayshaw Rd. *E Ard* —5A **6**
Brazil St. *C'frd* —3C **12**
Bread St. *Wake* —1G **33**
Bredon Clo. *Hems* —4D **62**
Brentlea Av. *Wake* —4F **33**
Brentwood Clo. *Thpe A* —4C **52**
Brettegate. *Hems* —4A **62**
Bretton Country Park.
—5F **55**
Bretton La. *Bret* —3F **55**
Brewery La. *Knot* —1H **27**
Briar Bank. *Kin* —1G **61**
Briar Gro. *Wake* —4A **34**
Briarwood Clo. *Out* —6H **7**
Brick St. *Wake* —6B **18**
Bridge Clo. *Horb* —6E **31**
Bridge Ct. *Fitz* —1G **61**
Bridge Ct. *Morl* —1B **4**
Bridge La. *Knot* —6H **15**
Bridge La. *Thpe A* —5D **52**
Bridge Rd. *Pon* —1E **43**
Bridge St. *C'frd* —3C **12**
Bridge St. *Morl* —1B **4**
Bridge St. *Nor* —2C **22**
Bridge St. *Pon* —4H **25**
Bridge St. *Wake* —3H **33**
Bridle Av. *Oss* —5C **16**
Bridle Clo. *Neth* —2E **43**
Bridle La. *Neth* —2E **43**
Bridle Pl. *Oss* —5C **16**
Bridle Pl. *Oss* —5D **16**
Brier La. *H'cft & S Hien* —3B **60**
Brierley Cres. *S Kirk* —2C **66**
Brierley Rd. *S Hien* —6D **60**
Briery Ct. *Wake* —6C **46**
Briery Hall Farm. *Wake* —6C **46**
Brigg's Av. *C'frd* —5B **12**
Brigg's Row. *F'stne* —3B **38**
Brighton St. *Wake* —2E **33**
Bright St. *E Ard* —3B **6**
Brindle Pk. Dri. *C'frd* —5E **13**
Brindley Way. *Wake* —1H **18**
Britannia Bldgs. *Morl* —1A **4**
Britannia Sq. *Morl* —1A **4**
Broadacre Av. *Oss* —2E **31**
Broad Acres. *Dur* —2D **44**
Broadcroft Chase. *Ting* —4E **5**
Broadcroft Dri. *Ting* —4E **5**
Broadcroft Gro. *Ting* —3E **5**
Broadcroft Way. *Ting* —3E **5**
Broad Cut Rd. *Cald G* —3A **44**
Broadgate. *Oss* —2E **31**
Broad La. *Pon* —4H **25**

Charles Av. *Out* —6F **7**
Charles Cotton Clo. *Wake* —5B **18**
Charles St. *C'frd* —4C **12**
Charles St. *Horb* —2A **44**
Charles St. *Oss* —4F **31**
Charles St. *Ryh* —2A **60**
Charles St. *S Hien* —6E **61**
Charles St. *Wake* —2H **33**
Charlestown. *Ackw* —4E **51**
Charles Vw. *Hall G* —6D **44**
Charlesworth Bldgs. Horb —6G **31**
(off Manor Rd.)
Charlesworth Pl. *Stan* —5D **8**
Charlesworth Way. *Wake* —2F **33**
Charleville. *S Elm* —1E **67**
Charlotte Gro. *Oss* —3F **31**
Charlotte St. *Wake* —2H **33**
Chase, The. *Stan* —5C **8**
Chatsworth Av. *Pon* —2A **26**
Chaucer Av. *Stan* —5A **8**
Cheapside. *Nor* —3B **22**
Cheapside. *Wake* —1F **33**
Chepstow Gdns. *Leeds* —1B **6**
Chequerfield. —6B 26
Chequerfield Av. *Pon* —5B **26**
Chequerfield Clo. *C'frd* —5G **11**
Chequerfield Ct. *Pon* —5B **26**
Chequerfield Dri. *Pon* —6A **26**
Chequerfield La. *Pon* —5B **26**
Chequerfield Mt. *Pon* —6B **26**
Chequerfield Rd. *Pon* —6A **26**
Chequers Clo. *Pon* —6B **26**
(in four parts)
Cherry Gth. *Hems* —5A **62**
Cherry Tree Ct. *E Ard* —4A **6**
Cherry Tree Cres. *W'ton* —2D **46**
Cherry Tree Dri. *W'ton* —2D **46**
Cherry Tree Rd. *W'ton* —2D **46**
Cherry Tree Wlk. *E Ard* —4A **6**
Chesterton Ct. *Horb* —5A **32**
Chestnut Av. *W'ton* —3C **46**
Chestnut Clo. *F'stne* —6B **24**
Chestnut Cres. *Nor* —6A **22**
Chestnut Dri. *S Hien* —6D **60**
Chestnut Grn. *Pon* —4B **26**
Chestnut Gro. *Croft* —6H **35**
Chestnut Gro. *Hems* —5D **62**
Chestnut Gro. *Pon* —1H **39**
Chestnut St. *S Elm* —4E **67**
Chestnut Wlk. *Knot* —2F **27**
Chestnut Wlk. *Wake* —5E **19**
Chevet Cft. *S'dal* —2A **46**
Chevet Gro. *Wake* —2A **46**
Chevet La. *Not* —2C **58**
Chevet La. *Wake & Not* —1A **46**
Chevet Pk. Ct. *Wake* —6A **46**
Chevet Ri. *Roys* —6D **58**
Chevet Ter. *Walt* —6C **34**
Cheviot Clo. *Hems* —4D **62**
Cheviot Pl. *Knot* —1H **27**
Chickenley. —6A 16
Chickenley La. *Dew* —6A **16**
Chidswell. —2B 16
Chidswell Gdns. *Dew* —2B **16**
Chidswell La. *Dew & Oss* —2B **16**
Childs Rd. *Wake* —5B **18**
Chiltern Av. *C'frd* —6F **11**
Chiltern Av. *Knot* —1G **27**
Chiltern Ct. *Hems* —4D **62**
Chiltern Dri. *Ackw* —4D **50**
Church Av. *K'thpe* —6E **21**
Church Av. *S Kirk* —3C **66**
Churchbalk Dri. *Pon* —1A **40**
Church Balk La. *Pon* —6A **26**
Church Clo. *Hems* —4B **62**
Church Clo. *Shar C* —5B **36**
Church Ct. *Nor* —4A **22**
Church Ct. *Oss* —6D **16**
Church Cres. *Neth* —3E **43**
Church Dri. *S Kirk* —3C **66**

Chu. Farm Clo. *Loft* —3G **7**
Chu. Farm Clo. *Nor* —1H **21**
Churchfield Cft. *Nor* —1H **21**
Churchfield La. *C'frd* —5D **12**
Churchfields. *Croft* —6H **35**
Churchfields. *Nor* —4A **22**
Churchfields. *Ryh* —1B **60**
Chu. Fields Vw. *C'frd* —5D **12**
Church Gth. *C'frd* —5D **12**
Church Gro. *S Kirk* —3C **66**
Churchill Gro. *Wake* —1A **46**
Church La. *C'thpe* —5E **45**
Church La. *D'ton* —2F **41**
Church La. *E Ard* —4A **6**
Church La. *E Hard* —5A **40**
Church La. *F'stne* —4A **24**
Church La. *Horb* —6H **31**
Church La. *Meth* —1C **10**
Church La. *Neth* —2E **43**
Church La. *Nor* —4A **22**
(in two parts)
Church La. *Old Sn* —5C **22**
Church La. *Out* —6F **7**
Church La. *Pon* —5H **25**
Church La. *Ryh* —4A **59**
Church La. *S Hien* —4A **60**
Church La. *Ting* —4D **4**
Church La. Av. *Wake* —6F **7**
Church Mt. *S Kirk* —3C **66**
Church Rd. *Nor* —1G **21**
Church Rd. *Stan* —6B **8**
Church Side. *Meth* —1C **10**
Churchside Vs. *Meth* —1C **10**
Church St. *B'ton* —3E **15**
Church St. *C'frd* —3B **12**
Church St. *Horb* —6H **31**
Church St. *Oss* —6D **16**
Church St. *S Elm* —3G **67**
Church St. *Wake* —3G **33**
Church St. *Wool* —4D **56**
Church Top. *S Kirk* —3C **66**
Church Vw. *C'frd* —4H **11**
Church Vw. *Crig* —4D **44**
Church Vw. *F'stne* —2A **38**
Church Vw. *S Kirk* —3C **66**
Church Vw. *Wake* —5A **34**
Church Vw Clo. *H'cft* —2C **60**
Church Vs. *S Kirk* —3C **66**
Churchway. *Croft* —6A **36**
Churwell Clo. *C'frd* —5B **12**
Cinder La. *C'frd* —3A **12**
Clap Ho. Fold. *Haig* —6G **55**
Claremont Cres. *Croft* —1H **47**
Claremont St. *Wake* —4A **34**
Claremont Ter. *Wake* —2E **33**
Clarence Rd. *Wake* —4F **33**
Clarence Wlk. *Wake* —2E **33**
Clarendon Cotts. Oss —4E **31**
(off Horbury Rd.)
Clarendon Ct. *Wake* —6G **19**
Clarendon St. *Wake* —6G **19**
(in two parts)
Clarion St. *Wake* —3A **34**
Clark Ct. *F'stne* —4A **24**
Clarke Cres. *Nor* —6A **22**
Clarke Gro. *Wake* —4A **20**
Clarke Hall Rd. *Stanl* —3A **20**
Clarke Rd. *Wake* —6E **5**
Clarkson Ct. *Nor* —4C **22**
Clarkson St. *Wake* —2E **33**
Clayfield Bungalows. *Knot* —1E **27**
Clayton Av. *Upt* —3G **65**
Clayton Ct. *F'stne* —2A **38**
Clayton Holt. *S Kirk* —4B **66**
Clayton M. *Nor* —1A **22**
Clayton Pl. *Nor* —1A **22**
Clayton Ri. *Wake* —4A **20**
Claytons Bldgs. *F'stne* —5B **24**
Claytons Cotts. *Horb* —6G **31**
Clayton St. *Wake* —2E **33**

Clayton Vw. *S Kirk* —4B **66**
Cleevethorpe Gro. *Wake* —6A **34**
Clement Clo. *Norm* —4D **22**
Clement St. *Wake* —2D **32**
Clevedon Way. *Roys* —6D **58**
Cleveland Av. *Knot* —1G **27**
Cleveland Av. *Wake* —5B **32**
Cleveland Gth. *Wake* —5B **32**
Cleveland Gro. *Wake* —5B **32**
Cliff Dri. *Crig* —4B **44**
Cliffe Crest. *Horb* —5H **31**
Cliffe Ter. *Rob H* —1E **7**
Cliff Gro. *Crig* —5A **44**
Cliff La. *Wake* —1F **33**
Clifford Av. *Wake* —5H **33**
Clifford Ct. Oss —1C **30**
(off Pildacre La.)
Clifford Rd. *S Kirk* —3B **66**
Clifford St. *S Elm* —3F **67**
Clifford Vw. *Wake* —5H **33**
Cliff Pde. *Wake* —1F **33**
Cliff Pk. Av. *Wake* —6F **19**
Cliff Rd. *Crig* —5A **44**
Cliff St. *Pon* —5G **25**
Cliff St. *Wake* —6D **18**
Cliff Villa Ct. *Wake* —6F **19**
Cliff Vs. Pon —5G **25**
(off Cliff St.)
Clifton Av. *Horb* —5G **31**
Clifton Av. *Pon* —5F **25**
Clifton Av. *Stan* —6A **8**
Clifton Clo. *Horb* —5G **31**
Clifton Cres. *Horb* —5G **31**
Clifton Dri. *Horb* —5G **31**
Clifton Forge Bus. Pk. *Knot*
—1G **27**
Clifton Pl. *Wake* —5F **19**
Clifton Rd. *Horb* —5G **31**
Clifton Rd. *Shar C* —4B **36**
Clifton St. *Hems* —5A **62**
Clifton Ter. *Oss* —5C **16**
Clifton Vw. *Pon* —5F **25**
Clock Row Av. *S Kirk* —2D **66**
Clock Row Gro. *S Kirk* —2D **66**
Clock Row Mt. *S Kirk* —2D **66**
Close Rd. *C'frd* —4D **12**
Close St. *Hems* —4A **62**
Close, The. *Dur* —2C **44**
Close, The. *E Ard* —4B **6**
Close, The. *Pon* —6B **26**
Clover Wlk. *Upt* —4B **64**
Clubhouses Cft. *Horb* —6G **31**
Club Ter. *Fitz* —5G **49**
Cluntergate. *Horb* —6H **31**
Clyde St. *Wake* —3A **34**
Coach Rd. *Wake* —6G **7**
Coal Pit La. *S Elm* —6G **65**
Coal Pit La. *Thpe A* —6H **53**
Cobb Av. *Wake* —3D **32**
Cobbler Hall. *Bret* —3F **55**
Cobbler's La. *Pon* —3B **26**
(in two parts)
Cobcroft La. *Crid S* —6E **29**
Cobham Pde. *Wake* —1F **19**
Cock La. *Croft* —5G **35**
Cold Hiendley. —2G 59
Cold Hiendley Comn. La. *Ryh*
—1E **59**
Coleridge Cres. *Wren* —2D **18**
Coleridge Way. *Pon* —3H **25**
Colin Barnaby Ct. *Wake* —5B **18**
Colinsway. *Wake* —2F **33**
Colleen Rd. *Dur* —4C **44**
College Gro. *C'frd* —5G **11**
College Gro. *Wake* —5G **19**
College Gro Clo. *Wake* —5G **19**
College Gro. Rd. *Wake* —6G **19**
College Gro. Vw. *Wake* —5G **19**
College Rd. *C'frd* —4F **13**
College Ter. *Ackw* —3C **50**

College Vw. *Ackw* —3C **50**
Colliery App. *Loft G* —5F **7**
Collingwood Rd. *Nor* —3B **22**
Collins Ct. *Byr* —3G **15**
Colonel's Wlk. *Pon* —4G **25**
Coltsfoot Clo. *Pon* —6H **25**
Colville Ter. *Thpe* —2C **6**
Colwyn Ter. *F'stne* —1B **38**
Commercial St. *C'frd* —3B **12**
Commercial St. *Wake* —3H **33**
Common End. —5D 62
Common Ing La. *Ryh* —1B **60**
(in two parts)
Common La. *Beal* —1G **29**
Common La. *E Ard* —3H **5**
Common La. *Knot* —2B **28**
Common La. *Roys* —6E **59**
Common La. *Thpe A* —5D **52**
Common La. *Upt* —4B **64**
Common La. *Wake* —3B **56**
Common La. *W'ton* —4B **46**
Common Piece La. *E Hard* —6A **40**
Common Rd. *Kin* —1G **61**
Common Rd. *Stan* —4B **8**
Common Rd. Av. *S Kirk* —4A **66**
Common Side. *Meth* —3E **11**
Common Side La. *Pon* —2G **37**
Coney Moor Gro. *Meth* —1F **11**
Coney Warren La. *Stan* —3A **8**
Coniston Ct. *Loft G* —5F **7**
Coniston Cres. *Wake* —5A **20**
Coniston Dri. *C'frd* —4A **14**
Coniston Gdns. *C'frd* —4A **14**
Coniston Pl. *Knot* —4G **27**
Constable Gro. *Stan* —5A **8**
Constable Rd. *Wake* —3E **5**
Convent Av. *S Kirk* —3C **66**
Conway Rd. *Wake* —6C **18**
Cooksland La. *Old Sn* —5E **23**
Cookson Clo. *C'frd* —6H **13**
Co-operative St. *Dew* —5B **16**
Co-operative St. *Horb* —6G **31**
Co-operative St. *Loft* —2G **7**
Co-operative St. *Wake* —2E **33**
Cooper Ho. Hems —5B **62**
(off Lilley St.)
Copeworth Dri. *Hall G* —6D **44**
Copper Beech Clo. *Pon* —1A **40**
Copper Beech Ct. *W'ton* —3C **46**
Coppertop M. *Pon* —2A **26**
Coppice Clo. *Wake* —5A **20**
Copse, The. *F'stne* —4A **24**
Corn Mkt. *Pon* —5G **25**
Coronation Av. *Nor* —1H **21**
Coronation Bungalows. Knot
(off Ferrybridge Rd.) —1F **27**
Coronation Rd. *Shar C* —4B **36**
Coronation St. *Carl* —1H **7**
Coronation St. *C'frd* —2D **12**
Coronation St. *Wren* —3D **18**
Coronation Ter. *C'frd* —5E **13**
Cotswold Clo. *Hems* —4D **62**
Cotswold Dri. *Knot* —1G **27**
Cotswold Rd. *Wake* —2B **32**
Cottam Cft. *Hems* —4C **62**
Cotterill Rd. *Knot* —2F **27**
Cotton St. *Wake* —3G **33**
Coupe Gro. *Nor* —6H **9**
Court, The. *Ackw* —2F **51**
Courtway, The. *Ackw* —2F **51**
Courtyard, The. *Pon* —2A **26**
Courtyard, The. *Wool* —4E **57**
Cow La. *Knot* —2A **28**
Cow La. *Ryh* —3B **60**
Cow La. *Shar C* —3A **36**
Coxley. —2D 42
Coxley Cres. *Neth* —3D **42**
Coxley La. *M'twn* —2D **42**
Coxley Vw. *Neth* —4C **42**
Crab Hill. *Pon* —5G **25**

Crab La. *N'dam* —5F **45**
Crab Tree La. *S Elm* —2H **67**
Crabtree Way. *Ting* —4F **5**
Crag Mt. *Pon* —5G **25**
Cranbrook Way. *Pon* —2A **26**
Craven Clo. *Roys* —6D **58**
Craven Rd. *Hems* —5B **62**
Craven St. *Wake* —6G **19**
Crawford Dri. *Wake* —6D **18**
Crawley Av. *S Kirk* —2D **66**
Crayford Dri. *Croft* —6H **35**
Crescent Bungalows. *Thor* —1B **6**
Crescent Rd. *H'cft* —2D **60**
Crescent, The. *C'frd* —5G **11**
Crescent, The. *Neth* —4C **42**
Crescent, The. *Nor* —1H **21**
Crescent, The. *S'hse* —2D **26**
Crescent, The. *Ting* —3G **5**
Crest Dri. *Pon* —1A **40**
Crest Mt. *Pon* —1A **40**
Crewe Av. *Knot* —1D **26**
Crewe Rd. *C'frd* —4G **13**
Cricketers App. *Wren* —2C **18**
Cricketers Clo. *Ackw* —4E **51**
Cridling Stubbs. —6D 28
Crigglestone. —4C 44
Crimbles, The. *Dur* —2D **44**
Crinan Ct. *Nor* —1A **22**
Croft Av. *Altft* —2H **21**
Croft Av. *E Ard* —4B **6**
Croft Av. *Knot* —1A **28**
Croft Av. *Nor* —2C **22**
Cft. Head La. *Wake* —6G **21**
Croftlands. *Bat & Dew* —3A **16**
Croftlands. *Knot* —1A **28**
Crofton. —1A 48
Croft, The. *Bads* —6H **51**
Croft, The. *Bret* —3F **55**
Croft, The. *C'frd* —5D **12**
Croft, The. *Knot* —1A **28**
Croft, The. *Ting* —6D **4**
Cromwell Clo. *B'ton* —3F **15**
Cromwell Cres. *Pon* —5A **26**
Cromwell Pl. *Pon* —6D **16**
Cromwell Rd. *C'frd* —4H **13**
Crossfield Ct. *Ove* —3A **42**
Crossfields. *Ove* —3A **42**
Cross Hands La. *Wake* —3H **49**
Cross Hill. —4C 62
Cross Hill. *B'ton* —3E **15**
Cross Hill. *Hems* —4B **62**
Cross Hill La. *Wake* —3E **61**
Cross Keys. *Oss* —6G **17**
Cross Keys Ct. *Horb* —6H **31**
Cross La. *Wake* —2D **32**
Crossley St. *F'stne* —2B **38**
Crossley St. *New S* —1H **35**
Crossman Dri. *Nor* —2C **22**
Cross Normanton St. *Horb*
                        —1A **44**
Cross Pk. Av. *C'frd* —4D **12**
Cross Pk. St. *Horb* —6G **31**
Cross Pipes Rd. *Wake* —6E **19**
Cross Queen St. *Nor* —3A **22**
Cross Rd. *M'twn* —2B **42**
Cross Rd. *Wake* —6D **44**
Cross Ryecroft St. *Oss* —6C **16**
Cross Sq. *Wake* —1G **33**
Cross St. *C'frd* —3A **12**
Cross St. *E Ard* —3C **6**
Cross St. *Hems* —4A **62**
Cross St. *Horb* —6H **31**
Cross St. *Oss* —4C **16**
Cross St. *Pon* —5H **25**
Cross St. *Upt* —3F **65**
Cross St. *Wake* —1G **33**
Cross St. *W'wd* —3H **11**
Crowcrowns La. *Pon* —3D **26**
Crown & Anchor Yd. *Pon* —5G **25**
Crown Clo. *Dew* —6A **16**

Crownlands La. *Oss* —1D **30**
Crown Point Clo. *Oss* —1C **30**
Crown Point Dri. *Oss* —6C **16**
Crown Point Rd. *Oss* —1C **30**
Crown St. *Oss* —4E **31**
Crown Yd. *S Kirk* —2D **66**
Crowther Pl. *C'frd* —4B **12**
Crowther St. *C'frd* —4A **12**
Croxall St. *Stan* —6A **8**
Crummock Pl. *Knot* —3G **27**
Crystal Pl. *Wake* —1H **33**
Cubley Av. *Wake* —3F **45**
Cumberland Rd. *C'frd* —1A **14**
Cumbrian Way. *Wake* —4B **32**
Curlew Clo. *C'frd* —5B **12**
Cutsyke. —6A 12
Cutsyke Av. *C'frd* —5H **11**
Cutsyke Crest. *C'frd* —5H **11**
Cutsyke Hill. *C'frd* —5H **11**
Cutsyke Rd. *C'frd & F'stne* —1H **23**
Cutsyke Wlk. *C'frd* —6A **12**
Cypress Ho. C'frd —4C 12
    (off Parklands)
Cypress Rd. *Nor* —5B **22**
Cyprus Av. *Wake* —5E **19**
Cyprus Gro. *Wake* —5E **19**
Cyprus Mt. *Wake* —5E **19**
Cyprus St. *Oss* —5C **16**
Cyprus St. *Wake* —5F **19**

Dacre Av. *Wake* —3A **32**
Dahl Dri. *C'frd* —6G **13**
Daisy Fold. *Upt* —4B **64**
Daisy Va. Ter. *Thor* —2C **6**
Dale Clo. *Oss* —1E **31**
Dale Ct. *Oss* —1D **30**
Dale Ct. *Pon* —2H **39**
Dalefield Av. *Nor* —4B **22**
Dalefield Rd. *Nor* —4A **22**
Dale La. *S Elm* —6C **64**
Dale La. Enterprise Zone. *S Elm*
                        —1H **67**
Dale M. *Pon* —2H **39**
Dale Vw. *Hems* —5D **62**
Dale Vw. *Pon* —2H **39**
Dale Wlk. *Pon* —3A **38**
Dalton Ter. *C'frd* —4B **12**
Danby La. *Wake* —5G **45**
    (in two parts)
Dandy Mill Av. *Pon* —3B **26**
Dandy Mill Cft. *Pon* —3B **26**
Dandy Mill Vw. *Pon* —3B **26**
Danehurst. *Pon* —5H **25**
Danella Cres. *Wren* —3D **18**
Danella Gro. *Wren* —3D **18**
Danes La. *M'twn* —3B **42**
Danesleigh Dri. *M'twn* —3B **42**
Darkfield La. *Pon* —1B **26**
Dark La. *Pon* —6G **25**
Darning La. *Thpe A* —4D **52**
Darrington. —2F 41
Darrington Rd. *E Hard* —5A **40**
Dartmouth Av. *Morl* —1A **4**
David St. *C'frd* —4H **11**
David St. *Wake* —3A **34**
Davis Av. *C'frd* —5H **13**
Dawes Av. *C'frd* —5D **12**
Daw Grn. Av. *Crig* —5C **44**
Daw La. *Horb* —1H **43**
Daw La. *Wake* —6B **44**
Dawson Hill Yd. *Horb* —6H **31**
Dawson St. *Ting* —2D **4**
Dawtrie Clo. *C'frd* —4H **13**
Dawtrie St. *C'frd* —3H **13**
Dean Clo. *Wren* —3D **18**
Dearden St. *Oss* —2D **30**
Dearne St. *S Elm* —2F **67**
Dearne Way. *Clay W* —6A **54**

Deffer Rd. *Wake* —3G **45**
De Lacy Av. *F'stne* —4A **24**
Delacy Cres. *C'frd* —2H **13**
De Lacy Ter. *Pon* —5A **26**
Dell, The. *C'frd* —5G **11**
Delph, The. *F'stne* —2D **38**
Denby Crest. *D'ton* —2E **41**
Denby Dale Rd. *Clay W & Bret*
                        —4C **54**
Denby Dale Rd. *Wake* —6E **33**
Denby Dale Rd. E. *Dur* —2C **44**
Denby Dale Rd. W. *Cald G*
                        —3B **44**
Denby Rd. *D'ton* —2E **41**
Deneside. *Oss* —6C **16**
Denhale Av. *Wake* —1C **32**
Denham Av. *Morl* —1A **4**
Denholme Dri. *Oss* —6D **16**
Denholme Mdw. *S Elm* —1F **67**
Denmark St. *Wake* —3A **34**
Dennington. —6A 44
Dennington La. *Crig* —5A **44**
Denstone St. *Wake* —6H **19**
Dent Dri. *Wake* —5B **20**
Denton Gdns. *Ackw* —4E **51**
Denton Ter. *C'frd* —3C **12**
Denwell Ter. *Pon* —4H **25**
Derwent Dri. *C'frd* —2A **14**
Derwent Gro. *Wake* —1D **32**
Derwent Pl. *Knot* —4G **27**
Derwent Rd. *Wake* —1D **32**
Devon Gro. *Oss* —3C **30**
Devonshire Ct. *Knot* —1H **27**
Dewsbury Rd. *Dew & Ting* —5B **4**
Dewsbury Rd. *Oss* —5C **16**
Dewsbury Rd. *Ting & Morl* —1E **5**
Dewsbury Rd. *Wake* —2A **32**
Diamond Av. *S Elm* —2E **67**
Dickens Dri. *C'frd* —6H **13**
Dickinson St. *Wake* —5G **19**
Dickinson St. *Wake* —6G **19**
Dickinson Ter. *F'stne* —1B **38**
Dicky Sykes La. *Ackw* —4B **50**
Dimple Gdns. *Oss* —3D **30**
Dimple Wells Clo. *Oss* —3D **30**
Dimple Wells La. *Oss* —3D **30**
Dimple Wells Rd. *Oss* —3D **30**
Dish Hill Fly-Over. *Knot* —4E **15**
Dixon St. *F'stne* —6B **24**
Dixon's Yd. *Wake* —1H **33**
Dobsons Row. *Carl* —1H **7**
Dodsworth Cres. *Nor* —5B **22**
Dodworth Dri. *Wake* —4F **45**
Dolphin La. *Thpe* —1C **6**
Doncaster Rd. *Ackw & Bads*
                        —4E **51**
Doncaster Rd. *E Hard* —6A **40**
Doncaster Rd. *Foul & Wrag*
                        —1C **48**
Doncaster Rd. *Knot* —1E **27**
Doncaster Rd. *N Elm* —5D **64**
Doncaster Rd. *S Elm* —3G **67**
Doncaster Rd. *Wake & Croft*
                        —3H **33**
Doncaster Rd. Est. *Ackw* —4E **51**
Doncaster Sq. *Knot* —6E **15**
Don Pedro Av. *Nor I* —3D **22**
Don Pedro Clo. *Nor* —4D **22**
Don Pedro Cotts. *Norm* —3E **23**
Dorchester Av. *Pon* —5F **25**
Dorman Av. *Upt* —3F **65**
Dorset Clo. *Hems* —3B **62**
Douglas Av. *Bat* —6A **4**
Dovecote Clo. *Horb* —5H **31**
Dovecote La. *Horb* —5G **31**
Dovecote Lodge. *Horb* —5H **31**
Dovedale Clo. *Croft* —6A **36**
Dove Dri. *C'frd* —3F **13**
Dowland Cres. *Knot* —4B **28**
Drivers Row. *Pon* —6F **25**

Drury La. *Nor* —2H **21**
Drury La. *Wake* —1F **33**
Dudfleet La. *Horb* —1H **43**
Duke of York Av. *Wake* —6H **33**
Duke of York St. *Wake* —6H **19**
Duke of York St. *Wren* —4D **18**
Duke St. *C'frd* —3H **11**
Duke St. *Fitz* —6G **49**
Dulverton Clo. *Pon* —2B **26**
Dulverton Ri. *Pon* —2B **26**
Dulverton Way. *Pon* —2B **26**
Dunbar St. *Wake* —3B **34**
Duncan Av. *Wake* —5A **34**
Dunderdale Cres. *C'frd* —2H **13**
Dungeon La. *Oult* —2B **8**
Dunlands La. *M'twn* —1B **42**
Dunn Clo. *Wren* —2D **18**
Dunningley La. *Ting* —1F **5**
Dunsil Vs..*S Elm* —4F **67**
Dunsley Ter. *S Kirk* —3A **66**
Dunstan Clo. *Oss* —3E **31**
Durham St. *C'frd* —6C **12**
Durkar. —2D 44
Durkar Fields. *Dur* —3C **44**
Durkar La. *Dur* —3C **44**
Durkar Low La. *Dur* —2D **44**
Durkar Ri. *Crig* —3D **44**
Dyas Bldgs. *S'hse* —2E **37**

Eagle Gro. *Wake* —1B **32**
Earle St. *F'stne* —1A **38**
Earlsheaton. —4A 16
Earl St. *Dew* —5B **16**
Earl St. *Fitz* —6G **49**
Earl St. *Wake* —6H **19**
East Acres. *Byr* —4G **15**
East Ardsley. —4G 5
East Av. *Horb* —6A **32**
East Av. *Pon* —6F **25**
East Av. *S Elm* —1H **67**
East Av. *Upt* —4C **64**
East Clo. *Pon* —2A **40**
E. Dale Clo. *Hems* —4D **62**
East Down. *C'frd* —3E **13**
East Dri. *Pon* —6B **26**
Eastfield Av. *Knot* —2H **27**
Eastfield Dri. *Pon* —4B **26**
Eastfield Gro. *Nor* —2C **22**
Eastfield La. *C'frd* —3C **12**
Eastfield Rd. *Knot* —2H **27**
Eastgate. *Hems* —5C **62**
East Hardwick. —5B 40
Eastleigh. *Ting* —3G **5**
Eastleigh Ct. *Ting* —3G **5**
Eastleigh Dri. *Ting* —3F **5**
East Moor. —6A 20
Eastmoor Rd. *Wake* —5G **19**
East St. *H'cft* —2D **60**
East St. *S Elm* —1H **67**
East St. *S Hien* —6E **61**
East St. *Stan* —2D **20**
East St. *Wake* —3G **19**
East Vw. *C'frd* —4G **11**
East Vw. *Knot* —2A **28**
East Vw. *Oss* —4E **31**
E. Ville Rd. *Shar C* —4B **36**
Eastwood Av. *Wake* —6D **18**
Eastwood Clo. *Dur* —2D **44**
Eaton Pl. *Hems* —4C **62**
Eaton Wlk. *S Elm* —6C **64**
Eddystone Ri. *Knot* —1F **27**
Edelshain Gro. *Wake* —1B **46**

Eden Av. *Oss* —1D **30**
Eden Av. *Wake* —2B **32**
Edendale. *C'frd* —3D **12**
Edgemoor Rd. *Hall G* —6D **44**
Edge Rd. *Dew* —6A **30**
Edna St. *S Elm* —2G **67**
Edward Ct. *Carr G* —6C **6**
Edward Dri. *Wake* —6F **7**
Edward St. *Nor* —6A **10**
Edward St. *Wake* —6H **19**
Elba Ter. *Horb* —4H **31**
Elder Av. *Upt* —3E **65**
Elder Av. *Wake* —6E **19**
Elder Dri. *Upt* —3E **65**
Elder Grn. *Wake* —6E **19**
Elder Gro. *Wake* —6E **19**
Eldon St. *Oss* —6F **17**
Elgar Wlk. *Stan* —6A **8**
Elizabethan Ct. *Pon* —3A **26**
Elizabeth Av. *S Hien* —6E **61**
Elizabeth Ct. *Hems* —5D **62**
Elizabeth Dri. *C'frd* —2G **13**
Elizabeth Dri. *Knot* —1E **27**
Elizabeth Gdns. *Wake* —5G **19**
Elizabeth St. *Wake* —5A **34**
Elland St. *C'frd* —2C **12**
Ellentrees. —1A 22
Ellentrees La. *Nor* —6A **10**
Ellin's Ter. *Nor* —5A **22**
Elliotts Clo. *C'frd* —6G **13**
Ellis Ct. *Oss* —4E **31**
Ellis St. *Horb* —6G **31**
Elm Av. *Stan* —1B **20**
Elm Clo. *D'ton* —2E **41**
Elm Clo. *Oss* —4E **31**
Elm Clo. *Pon* —3A **26**
Elmete Rd. *C'frd* —2H **13**
Elmfield Ct. *Morl* —1B **4**
Elmfield Rd. *Morl* —1B **4**
Elm Gdns. *C'frd* —6H **13**
Elm Gro. *Horb* —6H **31**
Elm Gro. *S Elm* —2F **67**
Elmhurst Gro. *Knot* —2H **27**
Elm Pk. *Pon* —1G **39**
Elm Pl. *Knot* —2G **27**
Elm Rd. *Hems* —4C **62**
Elm Rd. *Nor* —6B **22**
Elmsall Dri. *S Elm* —6E **65**
Elmsall La. *M'hse* —5H **67**
Elmsall La. *S Elm* —6D **64**
Elmsdale Clo. *S Elm* —3H **67**
Elms, The. *Ackw* —4D **50**
Elm St. *New C* —2B **48**
Elm Ter. *Pon* —5G **25**
Elm Tree St. *Wake* —3A **34**
Elmwood Av. *W'ton* —2D **46**
Elmwood Clo. *W'ton* —2D **46**
Elmwood Clo. *W'ton* —2D **46**
Elmwood Gth. *W'ton* —2D **46**
Elmwood Gro. *Horb* —6A **32**
Elsicker La. *Warm* —1H **35**
Elstone Vw. *Wake* —1E **19**
Elvaston Rd. *Morl* —1A **4**
Elvey St. *Wake* —6G **19**
Elwell St. *Thpe* —2C **6**
Emblem Ter. *Wake* —4H **33**
Embleton Rd. *Meth* —2C **10**
Emily St. *S Kirk* —2D **66**
Empire Ter. *Roys* —6F **59**
Engine La. *Horb* —6F **31**
Engine La. *Wrag* —6F **37**
England Lane. —2H 27
England La. *Knot* —2H **27**
Ennerdale Dri. *Knot* —3G **27**
Ennerdale Rd. *Wake* —1D **32**
Enterprise Way. *C'frd* —4A **12**
Eric St. *S Elm* —2G **67**
Esk Av. *C'frd* —3F **13**
Eskdale Av. *Nor* —1A **22**

Eskdale Clo. *Nor* —1A **22**
Eskdale Ct. *Nor* —1A **22**
Eskdale Cft. *Nor* —1A **22**
Eskdale Rd. *Wake* —6C **18**
Estcourt Dri. *D'ton* —3F **41**
Estcourt Rd. *D'ton* —2E **41**
Esther Av. *Wake* —3D **32**
Esther Gro. *Wake* —3D **32**
Everdale Mt. *Hems* —5A **62**
Everdale Mt. *S Elm* —2E **67**
Exchange St. *Nor* —3A **22**
Exchange St. *S Elm* —2F **67**
Express Way. *C'frd* —5C **10**

Fairbrook Rd. *Wake* —5E **45**
Fairburn St. *C'frd* —3A **12**
Fairfax Av. *F'stne* —4A **24**
Fairfax Av. *Knot* —2F **27**
Fairfax Rd. *Pon* —5A **26**
Fairfield Av. *Nor* —2G **21**
Fairfield Av. *Oss* —3F **31**
Fairfield Av. *Pon* —5F **25**
Fairfield Av. *Ting* —4D **4**
Fairfield Clo. *C'frd* —2A **14**
Fairfield Clo. *Oss* —3F **31**
Fairfield Ct. *C'frd* —4E **13**
Fairfield Dri. *Oss* —3F **31**
(in two parts)
Fairfield Gdns. *Oss* —2F **31**
Fairfield Mt. *Oss* —3F **31**
Fairfield Rd. *Oss* —3F **31**
Fairfields. *C'frd* —4A **14**
Fairfield Ter. *Oss* —3E **31**
Fairfield Wlk. *Oss* —3F **31**
Fairleigh Cres. *Ting* —3F **5**
Fairleigh Rd. *Ting* —3F **5**
Fair Vw. *Pon* —2A **40**
Fairway. *Nor* —4C **22**
Fairway App. *Nor* —3C **22**
Fairway Clo. *Nor* —3C **22**
Fairway Dri. *Nor* —4C **22**
Fairway Gdns. *Nor* —3C **22**
Fairway Meadows. *Nor* —3C **22**
Fairways Ct. *D'ton* —3G **41**
Fairway, The. *F'stne* —4B **24**
Fairy Hill. —6H 13
Fairy Hill La. *Pon* —6H **13**
(in two parts)
Faith St. *S Kirk* —1D **66**
Falcon Dri. *C'frd* —5A **12**
Fall Ings. —2H 33
Fall Ings Rd. *Wake* —3A **34**
Fall La. *E Ard* —3B **6**
Fall, The. —4B 6
Falmouth Av. *Nor* —2B **22**
Falmouth Cres. *Nor* —2B **22**
Falmouth Rd. *Nor* —2B **22**
Farfield Ct. *S Elm* —1G **67**
Farfield La. *S Hien* —4D **60**
Farm Cft. *S'hse* —2E **37**
Farmfield Dri. *Fitz* —6G **49**
Farm Gdns. *S'hse* —2E **37**
Farm La. *Fitz* —1G **61**
Farm Rd. *F'stne* —2B **38**
Farne Av. *Wake* —1D **32**
Farnham Way. *Croft* —6H **35**
Far Richard Clo. *Oss* —6D **16**
Farriers Pl. *C'frd* —5F **13**
Favell Av. *Nor* —4B **22**
Fawcett St. *Wake* —3G **33**
Fearnley Av. *Oss* —6C **16**
Fearnley Dri. *Oss* —6C **16**
Fearnley St. *F'stne* —2A **38**
Fearnside's Clo. *Wake* —6G **31**
Featherstone. —1A 38
Featherstone La. *F'stne* —5A **24**
Featherstone Rovers R.L.F.C.
—2B **38**

Felkirk. —5B 60
Felkirk Dri. *Ryh* —2A **60**
Fellowsides La. *Oss* —2E **31**
Fenton Clo. *S Kirk* —4B **66**
Fenton Rd. *Stan* —4B **8**
Fentonsgate. *Loft* —2G **7**
Fenton St. *Ting* —2F **5**
Fern Cft. *Wren* —2C **18**
Ferndale. *F'stne* —3B **38**
Ferndale Pl. *Hems* —5B **62**
Fernlea Clo. *Croft* —6A **36**
Fernleigh Ct. *Wake* —2D **32**
Fernley Green. —2B 28
Fernley Grn. Clo. *Knot* —2B **28**
Fernley Grn. Ct. *Knot* —2B **28**
(off Fernley Grn. Rd.)
Fernley Grn. Ind. Est. *Knot* —2B **28**
Fernley Grn. Rd. *Knot* —2B **28**
Fernley Hill Dri. *Nor* —6H **9**
Fernside. *Shar C* —4C **36**
Ferrybridge. —6E 15
Ferrybridge By-Pass. *Knot* —2E **27**
Ferrybridge Hill. —1F 27
Ferrybridge Rd. *C'frd* —3C **12**
Ferrybridge Rd. *Knot* —6F **15**
Ferrybridge Rd. *Pon* —3A **26**
Ferry La. *Stan* —2B **20**
Ferry Top La. *Ryh* —2A **60**
Fewston Av. *Wake* —5B **20**
Field Cres. *S Elm* —3F **67**
Fieldhead Clo. *Pon* —4B **26**
Fieldhead Gdns. *Dew* —2B **16**
Fieldhouse St. *Wake* —4B **34**
Field La. *Oss* —1D **30**
Field La. *S Elm* —1H **67**
Field La. *Upt* —4C **64**
Field La. *Wake* —4G **33**
Field Pl. *Wake* —2E **33**
Fieldsend Ct. *Upt* —4C **64**
Fieldside Rd. *Kin* —1H **61**
Fields, The. *Loft* —2H **7**
Field Vw. *C'frd* —1G **13**
Fld. View Cotts. *F'stne* —3B **38**
(off Katrina Gro.)
Finch Av. *Wake* —4H **45**
Finchley Way. *Morl* —1A **4**
Finkin Av. *Stan* —3A **20**
Finkin Cft. *Stan* —3A **20**
Finkin La. *Stan* —3A **20**
Finkle Clo. *Wool* —4D **56**
Finkle St. *Pon* —4H **25**
Finkle St. *Wool* —4D **56**
First Av. *Fitz* —5G **49**
First Av. *Horb* —6F **31**
First Av. *Pon* —4A **66**
First Av. *Upt* —4C **64**
First Av. *Wake* —3F **19**
Firth Clo. *Stan* —6A **8**
Firthfield La. *Pon* —5A **52**
Firth Ho. *Wake* —1G **33**
(off George St.)
Firville Av. *Nor* —4B **22**
Firville Cres. *Nor* —5B **22**
Fishergate. *Knot* —6E **15**
Fisher Gro. *Oss* —3F **31**
Fisher St. *Knot* —1G **27**
Fishpond La. *C'thpe* —4D **44**
Fishponds Dri. *Crig* —4C **44**
Fitzgerald Clo. *C'frd* —6H **13**
Fitzwilliam. —5G 49
Fitzwilliam St. *Kin* —2H **61**
Flanshaw. —1C 32
Flanshaw Av. *Wake* —1C **32**
Flanshaw Cres. *Wake* —1C **32**
Flanshaw Gro. *Wake* —1C **32**
Flanshaw Ind. Est. *Wake* —6B **18**
Flanshaw La. *Wake* —6B **18**
Flanshaw Rd. *Wake* —1C **32**
Flanshaw St. *Wake* —1C **32**
Flanshaw Vw. *Wake* —1C **32**

Flanshaw Way. *Wake* —6A **18**
Flass La. *C'frd* —1A **24**
Flavell Clo. *S Kirk* —4B **66**
Flexbury Av. *Morl* —1A **4**
Florence St. *C'frd* —3B **12**
Flounders Hill. *Ackw* —3D **50**
Flushdyke. —6F 17
Flynn Ho. *Wake* —1C **32**
Foljambe St. *Wake* —3G **33**
Folly Hall Mt. *Ting* —3E **5**
Folly Hall Rd. *Ting* —3E **5**
Ford St. *Kin* —2H **61**
Forest Clo. *Wake* —4A **20**
Forest Ridge. *E Ard* —2A **6**
Forge Hill La. *Knot* —6G **15**
Forge La. *Horb* —1A **44**
Forrester Clo. *Fitz* —6G **49**
Forsythia Av. *E Ard* —3A **6**
Forum Vw. *Thpe A* —4C **52**
Foss Wlk. *C'frd* —3F **13**
Foster Av. *Nor* —4A **22**
Fothergill Av. *Ackw* —3C **50**
Foulby. —1E 49
Foundry Ho. *C'frd* —4H **11**
Foundry La. *Knot* —2A **28**
Fountain St. *Morl* —1A **4**
Fountains Way. *Wake* —4B **20**
Four La. Ends. *C'frd* —5G **11**
Fourth Av. *Wake* —3F **19**
Foxbridge Way. *Nor I* —2E **23**
Foxcliff. *Knot* —2F **15**
Fox Ct. *Dur* —2D **44**
Foxglove Folly. *Wake* —5C **18**
Foxholes La. *Nor* —6H **9**
Fox La. *Dur* —2D **44**
Fox La. *Wake* —4E **19**
Fox Ter. *Pon* —4A **26**
Frain Clo. *Pon* —5A **26**
Frances Rd. *Dew* —6A **16**
Francis La. Ho. Pon —4H **25**
(off Horse Fair)
Francis Rd. *Shar C* —4B **36**
Francis St. *Ackw* —4B **50**
Francis St. *C'frd* —3C **12**
Francis Ter. *Ackw* —4B **50**
Frederick Av. *Wake* —4B **34**
Frederick St. *Wake* —1G **33**
Freeport Castleford. *C'frd* —6D **12**
Freeston Av. *K'thpe* —6F **21**
Freeston Ct. *Nor* —2B **22**
Freeston Dri. *K'thpe* —1E **35**
Freeston Dri. *Nor* —2B **22**
Freestone Way. *Altft* —1G **21**
Frensham Dri. *C'frd* —5H **13**
Friar's Clo. *F'stne* —3B **38**
Friars Nook. *Pon* —6A **26**
Friarwood La. *Pon* —5H **25**
Friar Wood Steps. *Pon* —5H **25**
Friar Wood Ter. *Pon* —5H **25**
Frickley La. *S Elm* —6E **61**
Frobisher Gro. *Wake* —2C **32**
Front St. *C'frd* —5D **12**
Front St. *Pon* —5G **25**
Fryergate. *Wake* —6D **18**
Fryston La. *Knot* —5B **14**
Fryston Rd. *C'frd* —4F **13**
Fulford St. *C'frd* —4A **12**
Fulmar Rd. *C'frd* —5A **12**
Fulwood Gro. *Wake* —4F **45**
Furlong La. *Pon* —3A **40**
Furness Av. *Wren* —3C **18**
Furness Dri. *Wren* —3C **18**

Gabriel's Corner. *Ackw* —4D **50**
Gagewell Dri. *Horb* —5H **31**
Gagewell La. *Horb* —5H **31**
Gagewell Vw. *Horb* —5H **31**
Gainsborough Way. *Stan* —6A **8**
Gallon Cft. *S Elm* —2E **67**

Gallows Hill. *C'frd* —4G **13**
Gallows La. *Wool* —2D **56**
Gannet Clo. *C'frd* —5A **12**
Garden Clo. *Oss* —4E **31**
Garden Ho. Clo. *Meth* —1D **10**
Garden Ho. La. *Ting* —3G **5**
Garden La. *Knot* —1A **28**
Garden Row. *Croft* —6H **35**
Gardens, The. *Pon* —6F **25**
Garden St. *Ackw* —4B **50**
Garden St. *Altfts* —2G **21**
Garden St. *C'frd* —5B **12**
Garden St. *Glass* —5E **13**
Garden St. *Nor* —5A **22**
Garden St. *Wake* —1F **33**
Garden Ter. *Crig* —5C **44**
Garforth Clo. *Nor* —2G **21**
Garforth Dri. *Nor* —2G **21**
Gargrave Cres. *Hems* —5A **62**
Gargrave Pl. *Hems* —5A **62**
Gargrave Pl. *Wake* —2A **32**
Garmil Head La. *Fitz* —4F **49**
Garmil La. *Wrag* —3F **49**
Garsdale Gro. *Wake* —5B **20**
Garsdale Wlk. *Knot* —3G **27**
Garside Gro. *Altft* —1H **21**
Garth Av. *Nor* —5A **22**
Garth Cotts. *Knot* —2B **28**
Garth St. *C'frd* —5A **12**
Gascoigne Rd. *Wake* —2C **6**
Gaskell Dri. *Horb* —5G **31**
Gaskell St. *Wake* —2E **33**
Gateways. *Wake* —6G **7**
Gauk St. *Knot* —3E **15**
Gawthorpe. —4C 16
Gawthorpe La. *Oss & K'gte* —4D **16**
Geary Clo. *Wake* —5B **18**
Geary Dri. *Wake* —5B **18**
Gelder Ct. *Wake* —5B **18**
Gelder Cft. *Wake* —5B **18**
Gemini Ct. *Pon* —2H **25**
Geneva Gro. *Wake* —6H **19**
Gentian Ct. *Wake* —6C **18**
George-A-Green Rd. *Wake* —2C **32**
George and Crown Yd. *Wake* —1G **33**
George Buckley Ct. *S Kirk* —3A **66**
George La. *Not* —5H **57**
George Pl. *Morl* —1A **4**
George St. *F'stne* —2A **38**
George St. *Hems* —5C **62**
George St. *Horb* —6H **31**
George St. *Nor* —2H **21**
George St. *Oss* —6C **16**
George St. *Out* —6F **7**
George St. *Ryh* —1B **60**
George St. *S Hien* —5D **60**
George St. *S'hse* —2D **36**
George St. *Wake* —1G **33**
George Wright Ho. Pon —5H **25**
  (off Horse Fair)
Georgia M. *Oss* —3F **31**
Gervase Rd. *Horb* —5G **31**
Gibson Av. *Wake* —6D **18**
Gibson Clo. *Wake* —6E **19**
Gilbert Wilkinson Ho. Pon —4H **25**
  (off Horse Fair)
Gilcar. —6C 10
Gilcar St. *Nor* —1D **22**
Gilcar Way. *Norm* —6C **10**
Gillann St. *Knot* —2A **28**
Gillion Cres. *Dur* —3C **44**
Gill Sike Av. *Wake* —3D **32**
Gill Sike Bldgs. *Wake* —3D **32**
Gill Sike Gro. *Wake* —3D **32**
Gill Sike Ho. *Wake* —3D **32**
Gill Sike Rd. *Wake* —3D **32**
Gill St. *Wake* —1G **33**

Gill's Yd. *Wake* —6G **19**
Gillygate. *Pon* —5H **25**
Gin La. *S'hse* —2C **36**
Gipsy La. *Wool* —6C **56**
Girnhill La. *F'stne* —3A **38**
Gisburn Rd. *Wake* —5B **20**
Gissing Rd. *Wake* —3B **32**
Gladstone St. *F'stne* —6B **24**
Gladstone St. *Nor* —2C **22**
Gladstone Ter. *C'frd* —3C **12**
Glass Houghton. —6D 12
Glastonbury Av. *Wake* —4B **20**
Glebelands. *Knot* —2F **29**
Glebe La. *Knot* —1H **27**
Glebe St. *C'frd* —4B **12**
  (in two parts)
Glebe St. *Nor* —5C **22**
Glendale. *Horb* —6F **31**
Gleneagles Rd. *F'stne* —4B **24**
Glenfields. *Neth* —4D **42**
Glenfields Clo. *Neth* —4D **42**
Glen Gro. *Morl* —1B **4**
Glenholme Ter. *Oss* —4C **16**
Glenlow Rd. *Dew* —2A **16**
Glen Mt. *Morl* —1B **4**
Glenn Way. *Croft* —1A **48**
Glen Rd. *Morl* —1C **4**
Gloucester Ct. *Wren* —2D **18**
Gloucester Gro. *Wake* —2B **32**
Gloucester Pl. *Wake* —2B **32**
Gloucester Rd. *Wake* —2B **32**
Golden Sq. *Horb* —6H **31**
Good Hope Clo. *Nor I* —2D **22**
Goosehill. —5G 21
Goosehill La. *Warm* —5G **21**
Goosehill Rd. *Nor* —5A **22**
Goosehole La. *S Elm* —4H **67**
Gordon Av. *Oss* —1D **30**
Gordon Pl. *S Elm* —3F **67**
  (in two parts)
Gordonsfield. *Ackw* —4D **50**
Gordon St. *E Ard* —3C **6**
Gordon St. *F'stne* —6B **24**
Gordon St. *Wake* —5B **34**
Gordon Ter. *Knot* —3B **28**
Goring Pk. Av. *Oss* —3G **31**
Gorton St. *Kin* —2H **61**
Gosside Gro. *Norm* —4D **22**
Gothic Mt. *Ack* —5G **23**
Governor's Yd. *Wake* —6H **19**
Grafton Clo. *Knot* —6H **15**
Grafton St. *C'frd* —6C **12**
Graham Av. *Upt* —3F **65**
Graham Dri. *C'frd* —4F **13**
Grampian Av. *Wake* —4C **32**
Granby Ct. *S Elm* —6C **64**
Grandstand Rd. *Wren & Loft* —6C **6**
Grange Av. *S Elm* —2G **67**
Grange Av. *Bads* —1A **64**
Grange Clo. *Knot* —1F **27**
Grange Ct. *Bads* —1A **64**
Grange Dri. *Oss* —4F **31**
Grange Ri. *Hems* —4B **62**
Grange Rd. *C'frd* —2A **14**
Grange St. *Wake* —2E **33**
Grange Vw. *Hems* —5B **62**
Grangeway. *Hems* —4B **62**
Grangewood Ct. *Out* —6H **7**
Grantley St. *Wake* —6H **19**
Grantley Way. *Wake* —6H **19**
Granville Av. *Pon* —5G **25**
Granville St. *C'frd* —6A **12**
Granville St. *F'stne* —3A **38**
Granville St. *Nor* —3B **22**
Grasmere Clo. *C'frd* —2A **14**
Grasmere Rd. *Knot* —3G **27**
Grasmere Rd. *Wake* —6C **18**
Great Cliff. —5A 44

Greatfield Clo. *Oss* —1E **31**
Greatfield Dri. *Oss* —1E **31**
Greatfield Gdns. *Oss* —2E **31**
Greatfield Rd. *Oss* —2E **31**
Gt. North Rd. *D'ton* —3F **41**
Gt. North Rd. *Fair* —1D **14**
Gt. North Rd. *Knot* —2E **27**
Gt. North Rd. *Went* —6F **41**
Greavefield La. *Pon* —5C **26**
Greaves Av. *Wake* —2A **32**
Greaves St. *C'frd* —3B **12**
Greek St. *C'frd* —3C **12**
Greenacre Rd. *Upt* —3E **65**
Green Acres. *Dur* —2E **45**
Green Acres. *F'stne* —4C **38**
Greenacres. *Oss* —4D **16**
Greenacres Clo. *Oss* —4D **16**
Greenacres Ct. *C'frd* —3E **13**
Greenacres Dri. *C'frd* —3E **13**
Greenacre Wlk. *H'cft* —1D **60**
Green Bank. *Loft* —2H **7**
Greenbank Clo. *C'frd* —6G **11**
Greenbank Gro. *Nor* —2H **21**
Greenbank Rd. *Nor* —2H **21**
Greencroft. *Kin* —1H **61**
Grn. End La. *Wake* —4F **33**
Greenfield Av. *Oss* —3G **31**
Greenfield Clo. *Oss* —3G **31**
Greenfield Clo. *Wren* —3D **18**
Greenfield Mt. *Wren* —3D **18**
Greenfield Rd. *Hems* —6B **62**
Greenfield Rd. *Nor* —3H **21**
Greenfield Rd. *Oss* —3G **31**
Greenfield Way. *Wren* —3D **18**
Green Hill. —4B 62
Greenhill Av. *Pon* —1A **40**
Greenhill Mt. *Pon* —1A **40**
Greenhill Rd. *Wake* —6H **19**
Green La. *Ackw* —3B **50**
Green La. *C'ton* —2A **40**
  (in two parts)
Green La. *C'frd* —2D **12**
Green La. *Cuts* —6A **12**
Green La. *F'stne* —1A **38**
Green La. *Horb* —1A **44**
Green La. *K'thpe* —1E **35**
Green La. *Loft* —2G **7**
Green La. *Meth* —2F **11**
Green La. *Neth* —4E **43**
Green La. *Not* —6C **58**
Green La. *Old Sn* —1G **37**
Green La. *Ove* —3A **42**
Green La. *Pon* —6H **25**
Green La. *S Kirk* —3B **66**
Green La. *Thpe A* —4E **53**
Green La. *Upt* —2E **65**
Green La. *Wake* —5C **18**
Green La. Bus. Pk. *F'stne* —1A **38**
Green La. Clo. *Ove* —2A **42**
Greenlay Dri. *K'gte* —3H **17**
Greenmoor Av. *Loft* —2G **7**
Greenmoor Clo. *Loft* —2G **7**
Greenmoor Cres. *Loft* —2H **7**
Green Pk. *Wake* —1A **34**
Green Pk. Av. *Horb* —5F **31**
Green Pk. Av. *Oss* —3E **31**
Green Row. *Meth* —2D **10**
Green Row Fold. *Meth* —2D **10**
Greenroyd Ct. *D'ton* —2E **41**
Greenside. *F'stne* —1B **38**
Greenside. *H'cft* —3B **60**
Greenside. *W'ton* —2C **46**
Greenside Ct. *New C* —2B **48**
Greenside Rd. *New C* —2B **48**
Green St. *C'frd* —2B **12**
Green, The. *C'frd* —3H **13**
  (in two parts)
Green, The. *F'stne* —3C **38**
Green, The. *Oss* —3D **30**
Green, The. *Shar C* —5C **36**

Green, The. *S Kirk* —2C **66**
Green, The. *Wool* —4E **57**
Green, The. *Wren* —2D **18**
Greentop. *New C* —2B **48**
Greenview. *New C* —2B **48**
Greenwood Av. *Dew* —6A **16**
Greenwood Av. *Upt* —3E **65**
Greenwood Clo. *Nor* —6B **22**
Greenwood Clo. *Upt* —3E **65**
Greenwood Cres. *Roys* —6D **58**
Greenwood Ho. Wake —1G **33**
  (off George St.)
Greenwood Rd. *Ting* —3F **5**
Greenwood Rd. *Wake* —6H **19**
Gregory Rd. *C'frd* —6C **12**
Grenley St. *Knot* —2A **28**
Grenville Wlk. *Hall G* —6D **44**
Grey Clo. *Wake* —2F **19**
Grey Ct. *Wake* —2F **19**
Grey Gables. *Neth* —3E **43**
Greystones Dri. *Oss* —4E **31**
Grey St. *Wake* —2F **19**
Griff Ho. La. *Wake* —3H **5**
Grime La. *Shar C* —4B **36**
Grimethorpe St. *S Elm* —2F **67**
Grosvenor Av. *Pon* —4E **25**
Grosvenor Av. *Upt* —4C **64**
Grosvenor St. *Wake* —4B **34**
Grove Av. *Hems* —5C **62**
Grove Av. *Pon* —5A **26**
Grove Av. *S Kirk* —3C **66**
Grove Cres. *W'ton* —2D **46**
Grove Dri. *S Kirk* —3B **66**
Grove Gdns. *Dew* —1A **30**
Grove Hall Cvn. Site. *Knot* —4F **27**
Grovehall La. *Pon & Knot* —5D **26**
Grove Head. *S Kirk* —3B **66**
Grove Ho. *Hems* —5C **62**
Grove La. *Bads* —6A **52**
Grove La. *Hems* —5C **62**
Grove La. *Knot* —1G **27**
Grove La. *S Kirk* —3B **66**
Grove Lea Clo. *Hems* —5C **62**
Grove Lea Cres. *Pon* —6A **26**
Grovelea Wlk. *Pon* —6A **26**
Grove Mt. *Pon* —5A **26**
Grove Mt. *S Kirk* —3B **66**
Grove Pk. *Cald G* —3B **44**
Grove Pl. *Hems* —5C **62**
Grove Ri. *Pon* —5A **26**
Grove Rd. *Horb* —6G **31**
Grove Rd. *Pon* —5H **25**
Grove Rd. *Wake* —2G **33**
Grove St. *Oss* —3D **30**
Grove St. *S Kirk* —3B **66**
Grove St. *Wake* —2H **33**
Grove Ter. *Hems* —5C **62**
Grove, The. *E Ard* —3H **5**
Grove, The. *Nor* —3B **22**
Grove, The. *Ryh* —2A **60**
Grove, The. *S Elm* —1F **67**
Grove, The. *S Kirk* —3C **66**
Grove, The. *W'ton* —2D **46**
Grove Town. —5A 26
Grove Way. *S Kirk* —3B **66**
Guernsey Rd. *Dew* —3A **16**
Guildford Rd. *Roys* —6D **58**
Guildford St. *Oss* —3D **30**
Gunson Cres. *Oss* —1D **30**
Guys Cft. *Wake* —3A **32**
Gypsy Clo. *C'frd* —5G **13**
Gypsy La. *C'frd* —5G **13**
Gypsy La. *Wake* —2A **46**

Hacking Hill. —2H 67
Hacking La. *S Elm* —2H **67**
Haddon Clo. *S Elm* —6C **64**
Hadleigh Ri. *Pon* —2F **39**
Hadrian Clo. *C'frd* —2G **13**

Hadrians Clo. *Thpe A* —4C **52**
Haggs Hill. —2G **31**
Haggs Hill Rd. *Oss* —2G **31**
(in two parts)
Haggs La. *Wake* —2A **32**
Hague Cres. *Hems* —6C **62**
Hague La. *S Kirk* —6D **62**
Hague Pk. Clo. *S Kirk* —2B **66**
Hague Pk. Coppice. *S Kirk* —2B **66**
Hague Pk. Dri. *S Kirk* —2B **66**
Hague Pk. Gdns. *S Kirk* —2B **66**
Hague Pk. La. *S Kirk* —2B **66**
Hague Pk. Wlk. *S Kirk* —2B **66**
Hague Ter. *Hems* —5C **62**
Haigh La. *Haig* —6A **56**
Haigh Moor. —5E **5**
Haigh Moor Av. *Ting* —5E **5**
Haigh Moor Cres. *Ting* —5E **5**
Haigh Moor Rd. *Ting* —6E **5**
Haigh Moor St. *Wake* —5H **19**
Haigh Moor Vw. *Ting* —5E **5**
Haigh Moor Way. *Roys* —6E **59**
Hailhead Dri. *Pon* —4B **26**
Halberg Ho. *Pon* —5A **26**
Haldane Cres. *Wake* —5A **20**
Half Acres. —5A **12**
Half Moon La. *K'thpe* —1D **34**
Halfpenny La. *F'stne & Pon*
—1B **38**
Hallamshire M. *Wake* —3A **32**
Hall Cliffe. —5G **31**
Hall Cliffe Ct. *Horb* —5G **31**
Hall Cliffe Cres. *Horb* —5G **31**
Hall Cliffe Gro. *Horb* —5G **31**
Hall Cliffe Ri. *Horb* —5H **31**
Hall Cliffe Rd. *Horb* —5G **31**
Hall Clo. *Hems* —4B **62**
Hall Clo. *Oss* —4B **16**
Hall Ct. *B'ton* —3B **50**
Hall Cft. *Neth* —3E **43**
Hallcroft Clo. *Horb* —6H **31**
Hallcroft Dri. *Horb* —6H **31**
Hall Fld. La. *Ryh* —4A **60**
Hall Gth Rd. *Thpe A* —4C **52**
Hall Green. —6D **44**
Hall La. *C'thpe* —5D **44**
Hall La. *Pon* —5D **26**
Hall Pk. Av. *Croft* —5H **35**
Hall Rd. *Wake* —3B **32**
Hall's Ct. *Ackw* —1D **50**
Hall St. *F'stne* —3B **38**
Halton Rd. *Wake* —5B **20**
Halton St. *F'stne* —6B **24**
Hambleton St. *Wake* —6G **19**
Hamel Ri. *Hems* —5B **62**
Hamilton Ct. *Nor* —2B **22**
Hammond Rd. *Knot* —2F **27**
Hampden Clo. *Knot* —6D **14**
Hampshire Clo. *Pon* —2A **26**
Hanby Av. *Nor* —2H **21**
Handsworth Rd. *Wake* —5E **45**
Hanley Rd. *Morl* —1A **4**
Hanover Cres. *Pon* —2G **39**
Hanover St. *Wake* —2E **33**
Hanson Av. *Nor* —4B **22**
Harcourt St. *Wake* —2D **32**
Hardaker's App. *Ackw* —4D **50**
Hardaker's La. *Ackw* —3C **50**
Hardcastle Av. *Pon* —4G **25**
Hardie Rd. *H'cft* —2C **60**
Hardistry Dri. *Pon* —5F **25**
Hardwick Clo. *Ryh* —3A **60**
Hardwick Ct. *Pon* —6G **25**
Hardwick Cres. *Pon* —2H **39**
Hardwick La. *W Har* —6H **37**
Hardwick Rd. *E Hard* —4B **40**
Hardwick Rd. *F'stne* —3A **38**
Hardwick Rd. *Pon* —1H **39**
Hardy Cft. *Wake* —1H **33**

Harebell Av. *Wake* —6C **18**
Harefield Rd. *Pon* —5B **26**
Hare Pk. La. *Croft* —2H **47**
Hare Pk. Vw. *Croft* —1H **47**
Harewood Av. *Nor* —2C **22**
Harewood Av. *Pon* —6A **26**
Harewood Clo. *Knot* —1E **27**
Harewood Dri. *Wren* —4B **18**
Harewood La. *Upt & Thpe A*
—3E **65**
(in two parts)
Harewood Mt. *Pon* —5A **26**
Harewood Park. —5A **26**
Harewood Rd. *Wake* —5B **20**
Harewood Vw. *Pon* —5A **26**
Hargreaves Av. *Stan* —6A **8**
Harker St. *Knot* —2B **28**
Harlington Ct. *Morl* —1A **4**
Harlington Rd. *Morl* —1A **4**
Harlock St. *Wake* —5A **34**
Harold Wilson Ho. *Nor* —4A **22**
Harrap St. *Wake* —6B **18**
Harrison Rd. *Croft* —6G **35**
Harrop Av. *Morl* —1B **4**
Harrop Gro. *Morl* —1B **4**
Harrop Ter. *Morl* —1B **4**
Harrop Well La. *Pon* —4H **25**
Harrow St. *S Elm* —2E **67**
Hartley Clo. *S Elm* —1G **67**
Hartley Pk. Av. *Pon* —5F **25**
Hartley Pk. Vw. *Pon* —5F **25**
Hartley's Bldgs. *Morl* —1B **4**
Hartley St. *C'frd* —4A **12**
Hartley Ter. *F'stne* —3A **38**
Harvest Clo. *Pon* —2A **26**
Harvey St. *Wake* —4A **34**
Harwood Clo. *S'dal* —6A **34**
Haselden Cres. *Wake* —2C **32**
Haselden Rd. *Wake* —2B **32**
Haste St. *C'frd* —3H **11**
Hastings Av. *Wake* —5G **33**
Hastings Ct. *Nor* —1G **21**
Hastings Cres. *C'frd* —4F **13**
Hastings Gro. *Wake* —5H **33**
Hastings Wlk. *C'frd* —4F **13**
Hatfield Ct. *Wake* —6G **19**
(off Howard St.)
Hatfield Pl. *H'cft* —1D **60**
Hatfield St. *Wake* —6G **19**
Hatfield Vw. *Wake* —3G **19**
Haven Ct. *Pon* —2F **39**
Havercroft. —2C **60**
Havercroft. *Oss* —2E **31**
Havercroft La. *D'ton* —1F **41**
Havercroft Ri. *S Hien* —5E **61**
Haverdale Rd. *H'cft* —2C **60**
Haverlands, The. *Hems* —5C **62**
Haveroid La. *Crig* —5C **44**
Haveroid Way. *Crig* —4D **44**
Havertop La. *Pon* —3F **23**
Hawes Clo. *C'frd* —3F **13**
(in two parts)
Haweswater Pl. *Knot* —4G **27**
Haw Hill Vw. *Nor* —2C **22**
Hawkingcroft Rd. *Horb* —6F **31**
Hawley Clo. *Morl* —1A **4**
Hawley Way. *Morl* —1A **4**
Haw Pk. La. *Ryh* —6G **47**
Haw Pk. La. *Wake* —1D **58**
Hawthorn Av. *Croft* —6G **35**
Hawthorn Av. *Knot* —2F **27**
Hawthorn Ct. *Croft* —6G **35**
Hawthorn Cft. *Loft* —2G **7**
Hawthorne Av. *C'frd* —5F **13**
Hawthorne Av. *F'stne* —3A **38**
Hawthorne Av. *Hems* —5B **62**
Hawthorne Cres. *Hems* —5A **62**
Hawthorne Gro. *Wake* —6C **18**
Hawthorne Mt. *Nor* —6B **22**
Hawthorne Ter. *Wake* —6C **18**

Hawthorn Gro. *Ackw* —4D **50**
Hawthorns, The. *Oss* —4E **31**
Hawthorns, The. *Wake* —6H **7**
Hawthorn Ter. *Oss* —4E **31**
Hawtop La. *Wool* —5D **56**
Haydn Av. *Stan* —5A **8**
Hazel Av. *Dew* —6B **16**
Hazel Bank. *Wake* —5C **18**
Hazel Clo. *Dew* —6B **16**
Hazel Ct. *Wake* —5E **19**
Hazel Cres. *Dew* —6B **16**
Hazel Dri. *Dew* —6B **16**
Hazel Gdns. *C'frd* —5H **13**
Hazel Gro. *Pon* —3A **26**
Hazel La. *Knot* —5H **27**
Hazel Ri. *Meth* —2C **10**
Hazel Rd. *Knot* —2G **27**
Hazelwood Ct. *Out* —6H **7**
Hazelwood Gdns. *Hems* —5C **62**
Hazelwood Rd. *Kin* —2H **61**
Hazelwood Rd. *Out* —6H **7**
Headlands Av. *Oss* —2C **30**
Headlands Gro. *Oss* —2C **30**
Headlands La. *Knot* —1G **27**
Headlands La. *Pon* —4G **25**
Headlands Pk. *Oss* —2C **30**
Headlands Rd. *Oss* —2C **30**
Headlands Wlk. *Oss* —2C **30**
Healdfield Rd. *C'frd* —3C **12**
Heald St. *C'frd* —3D **12**
Healdwood Clo. *C'frd* —3E **13**
Healdwood Rd. *C'frd* —3E **13**
Healey. —4C **30**
Healey Cres. *Oss* —4D **30**
Healey Cft. *Wake* —4H **5**
Healey Cft. La. *E Ard* —4H **5**
Healey Dri. *Oss* —4D **30**
Healey Rd. *Oss* —4C **30**
Healey Vw. *Oss* —3D **30**
Heath. —2D **34**
Heath Clo. *Dew* —5B **16**
Heather Clo. *Oss* —4F **31**
Heather Clo. *Out* —6H **7**
Heather Clo. *S Kirk* —2D **66**
Heather Ct. *Out* —6A **8**
Heather Cft. *Shar C* —4C **36**
Heatherdale Ct. *Wake* —3E **5**
Heatherdale Dri. *Ting* —3E **5**
Heatherdale Rd. *Ting* —3D **4**
Heathers, The. *Shar C* —4C **36**
Heather Vw. *Oss* —2D **30**
Heather Vw. *Shar C* —4C **36**
Heathfield Clo. *Ting* —4F **5**
Heathfield Rd. *Oss* —5C **16**
Heath Gro. *Bat* —6A **4**
Heath Rd. *Dew* —6B **16**
Heath Wlk. *Dew* —5B **16**
Heaton St. *Ackw* —4C **50**
Hebden Rd. *Wake* —5A **20**
Hedley Cres. *Wake* —2F **19**
Heeley Rd. *Wake* —5E **45**
Held Head. *Ackw* —4B **50**
Hellewell's Row. *Horb* —6D **30**
Hell La. *Wake & New S* —3E **35**
Helmsley Rd. *Wake* —6A **34**
Helston Rd. *Nor* —2B **22**
Hembrigg Ter. *Morl* —1A **4**
(off Dartmouth Av.)
Hemingway Clo. *C'frd* —6H **13**
Hemsby Rd. *C'frd* —4A **12**
Hemsworth. —2C **66**
Hemsworth By-Pass. *Hems*
—1D **62**
Hemsworth La. *Fitz* —5G **49**
Hemsworth Marsh. —2D **62**
Hemsworth Rd. *Hems* —6C **62**
Hendal La. *Wake* —4E **45**
Henderson Av. *Nor* —5B **22**
Henley Dri. *F'stne* —4B **38**
Henry Av. *H'cft* —3C **60**

Henry Moore Ct. *C'frd* —4F **13**
Henry Moore Pl. *C'frd* —5C **12**
Henry St. *Wake* —1E **33**
Henson Gro. *C'frd* —4F **13**
Hepworth St. *C'frd* —2D **12**
Herbert St. *C'frd* —4B **12**
Herbrigg Gdns. *Morl* —1B **4**
Hereford Clo. *Hems* —3B **62**
Heron Dri. *Wake* —4G **45**
Herriot M. *C'frd* —6H **13**
Heseltine Clo. *Nor* —4A **22**
Hesketh Av. *Ting* —3D **4**
Hesketh La. *Ting* —3D **4**
Hesley Rd. *Wake* —4F **45**
Hessle. —2C **50**
Hessle Comn. La. *Wake* —3B **50**
Hessle Ct. *Pon* —5G **25**
Hessle La. *Wake* —6B **38**
Hey Beck. —6C **4**
Hey Beck La. *Dew & Wake* —6C **4**
(in two parts)
Hey's Bldgs. *Nor* —1A **22**
Heys Clo. *Knot* —1H **27**
High Ackworth. —1E **51**
High Ash Clo. *Not* —5B **58**
High Brook Fall. *Loft* —5G **7**
High Clo. *Oss* —4D **16**
High Farm Fold. *Bads* —1A **64**
High Farm Mdw. *Bads* —1A **64**
Highfield. —5B **62**
Highfield. *Ting* —2D **4**
Highfield Av. *Pon* —6G **25**
(nr. Mill Hill La.)
Highfield Av. *Pon* —1C **26**
(nr. Pontefract Rd.)
Highfield Cen. *Hems* —5B **62**
Highfield Clo. *F'stne* —5B **24**
Highfield Ct. *C'frd* —5A **12**
Highfield Cres. *Ove* —3A **42**
Highfield Dri. *Wake* —6C **18**
Highfield Grange. *Horb* —6G **31**
Highfield La. *Hems* —6A **62**
Highfield Pl. *Hems* —5A **62**
Highfield Pl. *Horb* —6G **31**
Highfield Ri. *Wake* —5C **18**
Highfield Rd. *Hems* —5A **62**
Highfield Rd. *Horb* —6G **31**
Highfield Rd. *Neth* —4D **42**
Highfield Rd. *Pon* —1G **39**
Highfields. *Neth* —4D **42**
Highfields. *Wake* —1D **60**
High Grn. Rd. *Nor* —1G **21**
Highgrove Ct. *Norm* —5D **22**
High Keep Fold. *Hall G* —6D **44**
Highland Clo. *Pon* —2B **26**
Highlands, The. *Oss* —2C **30**
High Meadows. *W'ton* —3D **46**
High Oxford St. *C'frd* —4A **12**
High Ridge. *Neth* —3E **43**
High St. Altofts, *Altft* —2H **21**
High St. Brotherton, *B'ton* —2E **19**
High St. Castleford, *C'frd* —4A **12**
High St. Crigglestone, *Crig*
—4C **44**
High St. Crofton, *Croft* —1H **47**
High St. Hanging Heaton, *Hang H*
—2A **16**
High St. Horbury, *Horb* —6G **31**
High St. Knottingley, *Knot* —6E **15**
High St. Morley, *Morl* —1A **4**
High St. New Sharlston, *New S*
—2A **36**
High St. Normanton, *Nor* —3A **22**
High St. Ossett, *Oss* —4C **16**
High St. South Elmsall, *S Elm*
—2G **67**
High St. South Hiendley, *S Hien*
—6E **61**
High St. Upton, *Upt* —4C **64**
High St. Woolley, *Wool* —4D **56**

High Vw. *Crig* —4C **44**
High Well Hill La. *S Hien* —5B **60**
High Woodlands. *E Ard* —4A **6**
Hilda St. *Oss* —3E **31**
Hill Clo. *Pon* —6H **25**
Hill Crest. *H'cft* —2C **60**
Hillcrest. *Nor* —1G **21**
Hillcrest Av. *C'frd* —5H **13**
Hillcrest Av. *F'stne* —2H **37**
Hillcrest Av. *Oss* —5C **16**
Hillcrest Clo. *C'frd* —5H **13**
Hillcrest Dri. *C'frd* —5H **13**
Hillcrest Mt. *C'frd* —5A **14**
Hill Croft Clo. *D'ton* —2F **41**
Hillesley Rd. *Dew* —2A **16**
Hill Est. *Upt* —5D **64**
Hillfold. *S Elm* —2H **67**
Hillgarth. *Knot* —2G **27**
Hill Rd. *C'frd* —4D **12**
Hill Rd. *N'dam* —5G **45**
Hillside. *Byr* —4F **15**
Hillside Clo. *Wake* —4B **32**
Hillside Ct. *S Elm* —1G **67**
Hillside Mt. *Pon* —5A **26**
Hillside Rd. *Ackw* —3E **51**
Hillside Rd. *Pon* —5A **26**
Hillthorpe Dri. *Thpe A* —4C **52**
Hill Top. —5G 45
Hill Top. *C'frd* —4F **11**
Hill Top. *Fitz* —6G **49**
Hill Top. *Knot* —1G **27**
Hilltop. *C'frd* —2E **13**
Hill Top Clo. *Fitz* —6G **49**
Hill Top Clo. *Ting* —5E **5**
Hill Top Ct. *N'dam* —5G **45**
Hill Top Ct. *Ting* —5E **5**
Hill Top Grn. *Ting* —5D **4**
Hill Top Gro. *Ting* —5E **5**
Hill Top La. *Ting* —5D **4**
Hill Top La. *Wrag* —6A **38**
Hill Top M. *Knot* —1H **27**
Hill Top Rd. *N'dam* —5G **45**
Hill Top Vw. *Nor* —6A **22**
Hill Top Vw. *Ting* —5D **4**
Hilmian Way. *Hems* —6D **62**
Hinchcliffe Av. *Oss* —2F **31**
Hinds Cres. *S Elm* —2F **67**
Hinton Clo. *Pon* —2A **26**
Hinton La. *Knot* —5C **14**
Hirstlands Av. *Oss* —5C **16**
Hirstlands Dri. *Oss* —5C **16**
Hirst Rd. *Wake* —2B **32**
Hobart Rd. *C'frd* —3H **13**
Hob La. *S Kirk* —3A **66**
Hodgewood La. *D'ton* —1F **41**
Hodgson St. *Morl* —2C **4**
Hodgson St. *Wake* —6F **19**
Holby Sq. *Wake* —3A **32**
Holderness Rd. *Knot* —6G **15**
Holdgatehill La. *D'ton* —1H **41**
Hole La. *Wake* —6A **44**
Holes La. *Knot* —1F **27**
Holgate Av. *Fitz* —6H **49**
Holgate Cres. *Hems* —4A **62**
Holgate Gdns. *Hems* —4A **62**
Holgate Rd. *Pon* —2G **39**
Holgate Ter. *Fitz* —6H **49**
Holgate Vw. Fitz —6H 49
(off Wakefield Rd.)
Hollerton La. *Ting* —3F **5**
Hollin Dri. *Dur* —3C **44**
Hollings, The. *Meth* —1B **10**
Hollingthorpe. —6C 44
Hollingthorpe Av. *Hall G* —6C **44**
Hollingthorpe Ct. *Hall G* —1D **56**
Hollingthorpe Gro. *Hall G* —6C **44**
Hollingthorpe La. *Hall G* —5C **44**
Hollingthorpe Rd. *Hall G* —6C **44**

Hollingworth La. *Knot* —1A **28**
Hollinhirst La. *Neth* —4F **43**
Hollin La. *Cald G* —3B **44**
Hollins La. *Hamp* —5H **65**
Hollins Mt. *Hems* —4A **62**
Holly App. *Oss* —5D **16**
Holly Bank. *Ackw* —3C **50**
Holly Clo. *Croft* —6G **35**
Holly Clo. *S Elm* —3F **67**
Holly Ct. *Out* —6G **7**
Holly Ct. *Ting* —5E **5**
Holly Cres. *Croft* —6G **35**
Holly Dene. *Oss* —5D **16**
Holly Ho. C'frd —4C 12
(off Parklands)
Holly Mede. *Oss* —5D **16**
Holly St. *Hems* —4B **62**
Holly St. *Wake* —6D **18**
Holme Cft. *Dur* —2D **44**
Holme Fld. *Oss* —6C **16**
Holme La. *Wake* —4F **33**
Holme Leas Dri. *Oss* —6C **16**
Holme Ri. *S Elm* —3G **67**
Holme Way. *Oss* —6C **16**
Holmfield Av. *Wake* —4F **33**
Holmfield Cvn. Site. *Knot* —4B **14**
Holmfield Chase. *Stan* —5D **8**
Holmfield Clo. *Pon* —1B **26**
Holmfield Gro. *Wake* —4F **33**
Holmfield La. *Pon & Knot* —2B **26**
Holmfield La. *Wake* —4F **33**
Holmsley Av. *S Kirk* —3A **66**
Holmsley Gro. *S Kirk* —3A **66**
Holmsley La. *S Kirk* —3A **66**
Holmsley Mt. *S Kirk* —3A **66**
Holt's Yd. *Wake* —1F **33**
Holyoake Ter. *Horb* —6E **31**
Holyrood Cres. *Nor* —1H **21**
Holywell Dene. C'frd —5E 13
(off Garden St.)
Holywell Gdns. C'frd —5E 13
Holywell Gro. C'frd —5E 13
(off Rock Hill)
Holywell La. *C'frd* —5E **13**
Holywell Mt. *C'frd* —5F **13**
Homefield Av. *Morl* —1A **4**
Homestead Dri. *Wake* —1D **32**
Honeysuckle Clo. *Wake* —6C **18**
Honley Ho. Horb —6G 31
(off Honley Sq.)
Honley Sq. *Horb* —6G **31**
Hood St. *S Elm* —4E **67**
Hooton Cres. *Ryh* —2A **60**
Hopefield Ct. *E Ard* —4A **6**
Hope St. *C'frd* —1G **13**
Hope St. *H'cft* —4C **60**
Hope St. *Nor* —5A **22**
Hope St. *Oss* —4F **31**
Hope St. *Wake* —6G **19**
Hope St. E. *C'frd* —3B **12**
Hope St. W. *C'frd* —4A **12**
Hopetown. —2D 22
Hopetown Wlk. *Nor* —2D **22**
Hopewell Way. *Crig* —4C **44**
Hopwood Gro. *C'frd* —4F **13**
Horace Waller V.C. Pde. *Shaw B*
—3A **16**
Horbury. —6H 31
Horbury Bridge. —6E 31
Horbury Junction. —1A 44
Horbury M. *Horb* —5F **31**
Horbury Rd. *Oss* —4E **31**
Horbury Rd. *Wake* —4B **32**
Hornbeam Av. *Wake* —5E **19**
Hornbeam Grn. *Pon* —4B **26**
Horncastle Vw. *H'cft* —1D **60**
Horne St. *Wake* —3G **33**
Horse Fair. *Pon* —4H **25**
Horse Race End. —4E 35
Horton St. *Oss* —1C **30**

Hostingley La. *Thorn & M'twn*
—5A **30**
Houghton Av. *Knot* —6D **14**
Houndhill La. *F'stne* —2D **38**
Howard Cres. *Dur* —3C **44**
Howard St. *Oss* —6D **16**
Howard St. *Wake* —6G **19**
Howden Way. *Eastm* —1A **34**
Howley Pk. Rd. *Morl* —1A **4**
Howley Pk. Rd. E. *Morl* —2A **4**
Howley Pk. Ter. *Morl* —1A **4**
Howley Pk. Trad. Est. *Morl* —1A **4**
Hoyland Rd. *Wake* —4F **45**
Hoyland Ter. *S Kirk* —3A **66**
Hoyle Mill Rd. *Kin* —2A **62**
(in two parts)
Huddersfield Rd. *Bret & Haig*
—2E **55**
Hudson Av. *Not* —5D **58**
Hudswell St. *Wake* —4A **34**
Hugh St. *C'frd* —4B **12**
(in two parts)
Hulme Sq. *C'frd* —2H **13**
Humber Clo. *C'frd* —3F **13**
Humley Rd. *Wake* —4F **45**
Hundhill. *E Hard* —5H **39**
Hundhill La. *E Hard* —5H **39**
Hungate. —3G 9
Hungate La. *Meth* —3G **9**
Hunt Ct. *Wake* —1C **32**
Huntsman Fold. *Wake* —1B **32**
Huntsman's Way. *Bads* —1A **64**
Hunt St. *C'frd* —2B **12**
(in three parts)
Hunt St. *W'wd M* —3H **11**
Huntwick Av. *F'stne* —3A **38**
Huntwick Cres. *F'stne* —3H **37**
Huntwick Dri. *F'stne* —3H **37**
Huntwick La. *S'hse* —5F **37**
Huntwick Rd. *F'stne* —3A **38**
Huntwick Rd. *Old Sn* —3F **37**
Hutton Dri. *S Elm* —1G **67**
Hyde Pk. *Wake* —1A **34**
Hyman Wlk. *S Elm* —1G **67**

Ibbotson St. *Wake* —4B **34**
Illingworth Av. *Nor* —1G **21**
Illingworth St. *Oss* —2D **30**
Imperial Av. *Wren* —3D **18**
Inch La. *Pon* —5B **64**
Industrial St. *Horb* —1A **44**
Industrial St. *Wake* —5D **62**
Ingfield Av. *Oss* —1E **31**
Ingleborough Dri. *Morl* —1C **4**
Ingram Cres. *Knot* —2F **27**
Ings Clo. *H'cft* —2C **60**
Ings Clo. *S Kirk* —2D **66**
Ings Holt. *S Kirk* —1D **66**
Ings La. *C'frd* —1D **12**
Ings Rd. *Kin* —2H **61**
Ings Rd. *Wake* —2F **33**
Ings Vw. *C'frd* —3F **13**
Ings Vw. *Meth* —1E **11**
Ings Wlk. *S Kirk* —2D **66**
Ingswell Av. *Not* —4B **58**
Ingswell Ct. *Wake* —1H **33**
Ingswell Dri. *Not* —4B **58**
Ingwell Ct. *Wake* —1H **33**
Ingwell St. *Wake* —1H **33**
Intake Clo. *Stan* —6B **8**
Intake La. *Oss* —2E **31**
Intake La. *Stan* —6B **8**
(in two parts)
Intake La. *Wool* —4B **56**
Irvin Ter. *C'frd* —4A **12**
Irwin Av. *Wake* —6B **20**
Irwin Cres. *Wake* —6G **19**
Island, The. *Knot* —1A **28**
Ivy Clo. *S Elm* —4E **67**
Ivy Clo. *Wake* —5A **20**

Ivy Cotts. *Roys* —6F **59**
Ivy Gdns. *C'frd* —6H **13**
Ivy Gro. *Wake* —5A **20**
Ivy La. *Wake* —5A **20**
Ivy St. *F'stne* —1B **38**
Ivy Ter. *Horb* —5G **31**
Ivy Ter. *S Elm* —2G **67**

Jackson Ho. *Hems* —5B **62**
(off Lilley St.)
Jacksons Ct. *Pon* —5G **25**
(off Liquorice Way)
Jackson's La. *Went* —2F **53**
Jacob's Well La. *Wake* —6H **19**
Jaglin Ct. *F'stne* —3C **38**
Jakeman Clo. *Ting* —3E **5**
Jakeman Ct. *Ting* —3E **5**
Jakeman Dri. *Ting* —3E **5**
James Duggan Av. *F'stne* —1B **38**
James Gibbs Clo. *F'stne* —1B **38**
James St. *C'frd* —2B **12**
James St. *S Hien* —5F **61**
Jardine Av. *F'stne* —1B **38**
Jaw Hill. —2G 17
Jebb La. *Haig* —6G **55**
Jenkin Dri. *Horb* —6F **31**
Jenkin La. *Horb* —5F **31**
Jenkin Rd. *Horb* —6F **31**
Jerry Clay Dri. *Wren* —3C **18**
Jerry Clay La. *Wren* —2B **18**
Jersey Clo. *Dew* —3A **16**
Jessop St. *C'frd* —3B **12**
Jessop St. *Wake* —3G **33**
Jin-Whin Ct. *C'frd* —3G **11**
Jin-Whin Hill. *C'frd* —3G **11**
Jin-Whin Ter. *C'frd* —3G **11**
Joffre Av. *C'frd* —5C **12**
John Carr Av. *Horb* —5G **31**
John Ormsby V.C. Way. *Dew*
—2A **16**
Johns Av. *Loft* —5G **7**
John's Cres. *Wren* —3C **18**
Johnston St. *Wake* —1H **33**
John St. *C'frd* —5A **12**
John St. *S Elm* —3F **67**
John St. *Wake* —1H **33**
Jons Av. *S Kirk* —3A **66**
Jowett Ter. *Morl* —1A **4**
Jubilee Av. *Nor* —5A **22**
Jubilee Av. *Wake* —1G **19**
Jubilee Bungalows. *Knot* —1G **27**
Jubilee Clo. *Hems* —5D **62**
Jubilee Cotts. *H'cft* —3C **60**
Jubilee Ct. *Fitz* —6G **49**
Jubilee Cres. *Shar C* —4B **36**
Jubilee Cres. *Wake* —1G **19**
Jubilee Pl. *Pon* —4H **25**
Jubilee Rd. *Shar C* —4B **36**
Jubilee St. *Hall G* —6D **44**
Jubilee Way. *Pon* —5G **25**
Julie Av. *Dur* —4C **44**
Jumbles Ct. *Loft* —2G **7**
Jumbles La. *Loft* —2G **7**
Junction Houses. *C'frd* —2A **12**
Junction La. *Oss* —3G **31**
(in two parts)

Karon Dri. *Horb* —6H **31**
Katrina Gro. *F'stne* —4B **38**
Kay St. *Wake* —1H **33**
Keats Clo. *Pon* —3H **25**
Keats Gro. *Stan* —5A **8**
Keenan Av. *S Elm* —4E **67**
Keeper La. *Wool* —6H **57**
Kellingley. —2F 29
Kemp Bank. *Knot* —2C **28**
Kemp's Bri. *Wake* —1E **33**
Ken Churchill Dri. *Horb* —5G **31**

Kendal Clo. *C'frd* —4A **14**
Kendal Cft. *C'frd* —4A **14**
Kendal Dri. *C'frd* —4H **13**
Kendal Dri. *Croft* —5E **35**
Kendal Gdns. *C'frd* —4A **14**
Kendal Gth. *C'frd* —4A **14**
Kendal Ri. *Croft* —5E **35**
Kendal Ri. *W'ton* —3D **46**
Kenmore Rd. *Wake I* —1D **18**
Kennedy Clo. *Dew* —2A **16**
Kensington Rd. *Wake* —5F **19**
Kenton Dri. *Dur* —2E **45**
Kenyon St. *S Elm* —2G **67**
Keren Gro. *Wren* —3C **18**
Kershaw Av. *C'frd* —4F **13**
(in two parts)
Kershaw La. *F'bri* —4D **14**
Kershaw La. *Knot* —2G **27**
Kestrel Dri. *Wake* —4H **45**
Keswick Dri. *C'frd* —1A **14**
Keswick Dri. *Wake* —6C **18**
Kettlethorpe. —4F 45
Kettlethorpe Hall Dri. *Wake*
—3G **45**
Kettlethorpe Rd. *Wake* —4F **45**
Kettleton Chase. *Oss* —4C **16**
Kilby St. *Wake* —6F **19**
Kiln La. *Clay W* —6A **54**
Kilnsey Gro. *Wake* —5A **20**
Kilnsey Rd. *Wake* —5A **20**
Kimberley St. *F'stne* —1A **38**
Kimberley St. *Wake* —4H **33**
Kimberly Clo. *Thpe A* —4D **52**
King Edward St. *Hems* —5C **62**
King Edward St. *Nor* —3A **22**
Kingfisher Dri. *Dur* —2D **44**
Kingfisher Gro. *Wake* —4H **45**
King George St. *Wake* —2F **19**
King Royd La. *Wake* —3A **50**
Kings Av. *Altft* —6H **9**
Kings Av. *C'frd* —4E **13**
Kings Clo. *Ackw* —4B **50**
Kings Clo. *Oss* —6C **16**
Kings Clo. *Pon* —6G **25**
Kings Ct. *Kin* —2H **61**
King's Cres. *Pon* —6A **26**
Kings Cft. *Oss* —5C **16**
Kings Cft. *S Kirk* —2B **66**
Kings Dri. *Altft* —6H **9**
Kingsland Ct. *Roys* —6F **59**
Kings Lea. *Oss* —5C **16**
Kingsley Av. *Croft* —5G **35**
Kingsley Av. *F'stne* —5B **24**
Kingsley Av. *Knot* —6E **15**
Kingsley Av. *Miln* —3G **45**
Kingsley Av. *Out* —6F **7**
Kingsley Clo. *Croft* —5G **35**
Kingsley Clo. *Miln* —3G **45**
Kingsley Clo. *Out* —6F **7**
Kingsley Dri. *C'frd* —6H **13**
Kingsley Gth. *Wake* —6F **7**
Kingsmead. *Oss* —5C **16**
Kings Mead. *Pon* —6F **25**
Kings Mdw. *Oss* —6C **16**
King's Mt. *Knot* —6D **14**
Kings Paddock. *Oss* —6C **16**
Kings Rd. *Nor* —5G **9**
Kingston Dri. *Norm* —4C **22**
King St. *Altft* —6H **9**
King St. *C'frd* —6C **12**
King St. *Horb* —6D **30**
King St. *Kin* —2H **61**
King St. *Nor* —4A **22**
King St. *Oss* —3E **31**
King St. *Pon* —5F **25**
King St. *Wake* —1G **33**
Kingsway. *Nor* —5A **22**
Kingsway. *Oss* —5C **16**
Kingsway. *Pon* —2H **25**
Kingsway. *Stan* —3B **20**

Kingsway Clo. *Oss* —6C **16**
Kingsway Ct. *Oss* —6C **16**
Kingswell Av. *Wake* —1G **19**
Kinsley. —1H 61
Kinsley Ho. Cres. *Fitz* —1G **61**
Kinsley St. *Kin* —2H **61**
Kipling Gro. *Pon* —2H **25**
Kirkbridge Way. *S Elm* —2F **67**
Kirkby Clo. *S Kirk* —2C **66**
Kirkbygate. *Hems* —6C **62**
Kirkby Rd. *Hems* —5C **62**
Kirk Clo. *Dew* —5B **16**
Kirkdale. *C'frd* —3G **13**
Kirkdale Dri. *Cald G* —3B **44**
Kirkgate. *Bat* —2A **16**
Kirkgate. *Wake* —1G **33**
(in three parts)
Kirkgate Bus. Cen. *Wake* —2H **33**
Kirkgate La. *S Hien* —5B **60**
Kirkham Av. *K'gte* —2H **17**
Kirkhamgate. —3H 17
Kirkhaw La. *Knot* —4D **14**
Kirkthorpe. —1E 35
Kirkthorpe La. *K'thpe* —4C **34**
Kirkwood Gro. *Ting* —3F **5**
Kitson St. *Ting* —2D **4**
Knightscroft Pde. *S Elm* —3G **67**
Knightsway. *Rob H* —1F **7**
Knightsway. *Wake* —3G **45**
Knoll Clo. *Oss* —6D **16**
Knoll Pk. *E Ard* —4B **6**
Knottingley. —1G 27
Knottingley Rd. *Pon & Knot*
—3C **26**

Laburnum Clo. *E Ard* —4A **6**
Laburnum Ct. *C'frd* —5C **12**
Laburnum Ct. *Horb* —6F **31**
Laburnum Gro. *Horb* —6F **31**
Laburnum Rd. *Wake* —6F **19**
Lacey St. *Horb* —5A **32**
Lacy St. *Hems* —4A **62**
Lady Balk. —2H 25
Lady Balk La. *Pon* —3H **25**
Lady Clo. *Oss* —5C **16**
Lady La. *Wake* —2F **33**
Lady Mill La. *Dew* —6B **30**
Lafflands La. *Ryh* —2A **60**
Laithes Chase. *Wake* —6B **18**
Laithes Clo. *Wake* —6B **18**
Laithes Ct. *Wake* —6B **18**
Laithes Cres. *Wake* —6B **18**
Laithes Dri. *Althpe* —6B **18**
Laithes Fold. *Wake* —6B **18**
Laithes Vw. *Wake* —6B **18**
Lakeland Way. *W'ton* —3C **46**
Lake Lock. —6C 8
Lake Lock Dri. *Stan* —5B **8**
Lake Lock Gro. *Stan* —6C **8**
Lake Lock Rd. *Stan* —6B **8**
Lakeside Est. *Ryh* —1B **60**
Lakeside Meadows. *Pon* —2H **25**
Lakeside Vw. *Pon* —1B **62**
Lake Vw. *N'dam* —5G **45**
Lake Vw. *Pon* —2G **25**
Lake Yd. *Stan* —6C **8**
Lamb Inn Rd. *Knot* —2A **28**
Lanark St. *Croft* —1A **48**
Lancaster Clo. *Pon* —1H **39**
Lancaster St. *C'frd* —2H **13**
Lancefield Ho. *Out* —6F **7**
Landsdown Av. *S Kirk* —4A **66**
Landseer Av. *Ting* —3E **5**
Lane Ends Clo. *Fitz* —5G **61**
Lane End Vw. *Stan* —6A **8**
Langdale Av. *Nor* —1A **22**
Langdale Av. *Out* —6H **7**
Langdale Clo. *C'frd* —1A **14**
Langdale Dri. *Ackw* —2G **51**

Langdale Dri. *Nor* —1A **22**
Langdale Dri. *Wake* —1C **32**
Langdale M. *Nor* —1A **22**
Langdale Mt. *W'ton* —3C **46**
Langdale Sq. *Wake* —1D **32**
Langley. —3F 7
Langsett Rd. *Wake* —4F **45**
Langthorne Cres. *Morl* —1C **4**
Langthwaite Grange Ind. Est.
S Kirk —3D **66**
Langthwaite Ho. *S Kirk* —2C **66**
Langthwaite La. *S Elm* —4E **67**
Langthwaite Rd. *Lang G* —2D **66**
Lansdowne Av. *C'frd* —4D **12**
Larch Clo. *Nor* —5C **22**
Larch Ct. *C'frd* —5C **12**
Larks Hill. *Pon* —6F **25**
Larkspur Way. *Wake* —6C **18**
Laurel Ct. *Oss* —1C **30**
Laurel Ho. C'frd —4C 12
(off Parklands)
Laurels, The. *Dew* —6A **16**
Lawefield Gro. *Wake* —2E **33**
Lawefield La. *Wake* —2E **33**
Lawns. —5C 6
Lawns. *Wake* —5C **6**
Lawns Clo. *Nor* —1G **21**
Lawns Ct. *Carr G* —6C **6**
Lawns La. *Carr G* —6C **6**
Lawns Ter. *E Ard* —4B **6**
Lawns, The. *Ove* —3A **42**
Lawns Vw. *Nor* —1G **21**
Lawrence Av. *Pon* —5F **25**
Laythorpe Ct. *Pon* —6C **26**
Leaf St. *C'frd* —4A **12**
Leake St. *C'frd* —4C **12**
Lea La. *F'stne* —3C **38**
Leatham Av. *F'stne* —3C **38**
Leatham Cres. *F'stne* —3C **38**
Leatham Dri. *F'stne* —3D **38**
Leatham Pk. Rd. *F'stne* —3C **38**
Ledgard Dri. *Dur* —2D **44**
Ledger La. *Loft* —2G **7**
Ledger La. *Wake* —6F **7**
Ledger Pl. *Wake* —1F **19**
Lee Beck Gro. *Stan* —3A **8**
Lee Brig. *Nor* —2G **21**
Lee Ct. *Oss* —3F **31**
Lee Cres. *Dur* —2D **44**
Leeds La. *Meth* —1B **10**
Leeds Rd. *Glass* —5C **12**
Leeds Rd. *Loft & Wake* —1F **7**
Leeds Rd. *Oss* —4B **16**
(in two parts)
Leeds Rd. *W'wood* —3G **11**
Leeke Av. *Nor* —5G **31**
Lee La. *Ackw* —6F **39**
Lee Moor. —5A 8
Lee Moor La. *Stan* —3A **8**
Lee Moor Rd. *Stan* —5A **8**
Lee St. *Wake* —1G **33**
Leigh Av. *Ting* —3G **5**
Leigh Rd. *Ting* —3G **5**
Leigh St. *Ackw* —4B **50**
Leigh Vw. *Ting* —3F **5**
Lemon Tree Clo. *Pon* —1F **39**
Lenham Clo. *Morl* —1A **4**
Lennox Dri. *Wake* —5B **32**
Leopold St. *Oss* —3G **31**
Lewin Gro. *C'frd* —3H **13**
Lewis Walsh Ho. Pon —5H 25
(off Horse Fair)
Leybrook Cft. *Hems* —4C **62**
Leyland Rd. *C'frd* —3G **13**
Leys La. *Knot* —3H **27**
Leys Rd. *D'ton* —2G **41**
Leys, The. *S Kirk* —4A **66**
Lichfield Rd. *Dew* —5A **16**
Lidgate Cres. *Lang G* —3D **66**
Lidget La. *Shar C* —5D **36**

Lightfoot Av. *C'frd* —5C **12**
Lightfoot Clo. *C'frd* —5B **12**
Light La. *Wake* —6C **18**
Lilac Av. *Knot* —3G **27**
Lilac Av. *Wake* —4G **33**
Lilley St. *Hems* —5B **62**
Lilley Ter. *S Kirk* —3B **66**
Lime Cres. *S Elm* —4E **67**
Lime Cres. *Wake* —6B **34**
Lime Gro. *S Elm* —4E **67**
Lime Pit La. *Stan* —6A **8**
Lime St. *Oss* —3E **31**
Lime Tree Av. *Pon* —5F **25**
Lime Tree Ct. *Hems* —5A **62**
Limetrees. *Pon* —1C **26**
Lincoln Cres. *S Elm* —1G **67**
Lincoln St. *C'frd* —3C **12**
Lincoln St. *Wake* —6D **18**
Lindale Av. *Ackw* —2G **51**
Lindale Gth. *K'gte* —3A **18**
Lindale Gro. *Wake* —4B **18**
Lindale La. *K'gte* —3A **18**
Lindale Mt. *Wake* —4A **18**
Linden Clo. *C'frd* —5H **13**
Linden Clo. *Dew* —6B **16**
Linden Clo. *Knot* —1E **27**
Linden Ter. *Ackw* —4B **50**
Linden Ter. *Pon* —5G **25**
Lindrick Clo. *Norm* —4D **22**
Lindsay Acre. *Ting* —3G **5**
Lindsay Av. *Wake* —2A **32**
Lings La. *Upt* —3H **65**
Lingwell Chase. *Loft G* —5G **7**
Lingwell Ct. *Loft* —5E **7**
Lingwell Gate. —4E 7
Lingwell Ga. Cres. *Wake* —6F **7**
Lingwell Ga. Dri. *Wake* —6E **7**
Lingwell Ga. La. *Loft & Out* —1D **6**
Lingwell Nook Ct. *Loft* —5G **7**
Lingwell Nook La. *Loft G* —5G **7**
Lingwell Nook La. *Loft* —3E **7**
Link Rd. *Wake* —5F **19**
Links, The. *F'stne* —4B **24**
Link, The. *Pon* —1G **39**
Linnet Gro. *Wake* —4H **45**
Linsay Acre. *Ting* —3G **5**
Linton Clo. *Norm* —4D **22**
Linton Rd. *Wake* —1B **34**
Lionel St. *Oss* —3E **31**
Liquorice Way. *Pon* —5G **25**
Lisheen Av. *C'frd* —4C **12**
Lisheen Gro. *C'frd* —4C **12**
Lister Clo. *F'stne* —2A **38**
Lister Rd. *F'stne* —2A **38**
Lister St. *C'frd* —3A **12**
Litell Royd. *S'hse* —2D **36**
Litherop La. *Clay W* —5C **54**
Lit. Church La. *Meth* —1C **10**
Littlefield Gro. *Oss* —1E **31**
Littlefield Rd. *Oss* —2E **31**
Little Hemsworth. —5C 62
Lit. Hemsworth. *Hems* —5C **62**
Lit. John Cres. *Wake* —3C **32**
Little La. *F'stne* —3C **38**
Little La. *S Elm* —2H **67**
(nr. Chapel La.)
Little La. *S Elm* —2F **67**
(nr. Minstorpe Va.)
Little La. *Upt* —4D **64**
Litton Cft. *Wake* —6B **20**
Lock La. *C'frd* —2B **12**
Lock La. *Nor* —5H **9**
Lodge Av. *C'frd* —4G **13**
Lodge Farm Gdns. *Altft* —2G **21**
Lodge Hill. —5E 17
Lodge Hill Rd. *Oss* —5D **16**
Lodge La. *Croft* —5G **35**
Lodge La. *N'dam* —5H **45**
Lodges Clo. *H'cft* —1C **60**
Lodge St. *Hems* —3B **62**

Mellwood Ho. *S Elm* —2E **67**
(off Little La.)
Mellwood La. *S Elm* —2E **67**
Melton Clo. *S Elm* —6C **64**
Melton Rd. *Wake* —5E **45**
Merewood Rd. *C'frd* —4F **11**
Methley. —1C 10
Methley Junction. —3D 10
Methley Lanes. —4G 9
Methley Rd. *C'frd* —3G **11**
Mews Ct. *F'stne* —2B **38**
Mews, The. *Nor* —2B **22**
Michael Av. *Stan* —6A **8**
Mickle Ct. *C'frd* —4A **12**
Micklegate. *Pon* —4H **25**
Micklegate Sq. *Pon* —4H **25**
Micklethwaite Rd. *Hall G* —6D **44**
Mickletown Rd. *Meth* —1C **10**
Middlefield La. *K S'ton* —5H **53**
Middle Fld. La. *Wool* —5C **56**
Middle La. *Knot* —2A **28**
(in three parts)
Middle La. *New C* —2B **48**
Middle Oxford St. *C'frd* —4A **12**
Middlestown. —2A 42
Middleton La. *Midd & Thor*
—1A **6**
Middleton Pk. Av. *Leeds* —1A **6**
Middleton Way. *Knot* —6H **15**
Midgley. —1C 54
Midgley Ri. *Pon* —2H **25**
Midland Rd. *Pon* —5A **26**
Mildred Sylvester Way. *Nor I*
—3D **22**
Milgate St. *Roys* —6F **59**
Millars Wlk. *S Kirk* —4A **66**
Mill Clo. *Ackw* —3E **51**
Mill Clo. *S Kirk* —3A **66**
Mill Cotts. *F'stne* —1H **37**
Millcroft. *Loft* —5A **8**
Millcroft Clo. *Loft* —5A **8**
Millcroft Ri. *Loft* —5A **8**
Mill Dam La. *Pon* —3A **26**
Miller Av. *Wake* —5H **33**
Miller Ct. *N'dam* —5F **45**
Mill Farm Dri. *N'dam* —5A **45**
Millfield Cres. *Pon* —1G **39**
Millfield Rd. *Horb* —1A **44**
Millfields. *Oss* —2C **30**
Mill Forest Way. *Bat* —1A **16**
Mill Gth. *Pon* —6G **25**
Millgate. *Ackw* —4E **51**
Mill Hill. —6C 22
Mill Hill. *Ackw* —1E **51**
Mill Hill. *Nor* —4A **22**
Mill Hill Av. *Pon* —6F **25**
Mill Hill Clo. *D'ton* —2F **41**
Mill Hill La. *Pon* —6F **25**
Mill Hill Rd. *Pon* —6G **25**
Mill La. *Ackw* —4E **51**
Mill La. *C'frd* —2B **12**
Mill La. *Dew* —6A **56**
Mill La. *E Ard* —3B **6**
Mill La. *Nor* —1D **22**
Mill La. *Pon* —2B **26**
Mill La. *Ryh* —2B **60**
Mill La. *S Elm* —6C **64**
Mill La. *S Kirk* —4A **66**
Mill La. *S'hse* —2C **36**
Mill La. *Wool* —3H **57**
Millstone Clo. *Ackw* —4E **51**
Mill St. *C'frd* —4H **11**
Mill St. *Morl* —1A **4**
Mill St. *S Kirk* —3A **66**
Mill Vw. *Hems* —5A **62**
Mill Vw. *Knot* —1G **28**
Millward St. *Ryh* —2A **60**
Milner La. *Rob H* —1E **7**
(in two parts)

Milner's La. *D'ton* —3F **41**
Milner St. *Oss* —4C **16**
Milner Way. *Oss* —1E **31**
Milne's Av. *Wake* —4D **32**
Milnes Gro. *C'frd* —4F **13**
Milnthorpe. —2H 45
Milnthorpe Cres. *Wake* —1H **45**
Milnthorpe Dri. *Wake* —1H **45**
Milnthorpe La. *Miln* —6G **33**
Milnthorpe La. *Wake* —5H **33**
Milton Clo. *Cald G* —3B **44**
Milton Ct. *Wake* —5B **8**
Milton Cres. *Wake* —3A **32**
Milton Dri. *Kin* —1H **61**
Milton Pl. *Oss* —6D **16**
Milton Rd. *Wake* —3A **32**
Milton St. *C'frd* —3A **12**
Milton St. *Wake* —2E **33**
Milton Ter. *Fitz* —5G **49**
Minden Clo. *Pon* —6E **25**
Minden Way. *Pon* —5E **25**
Minsthorpe. —6C 64
Minsthorpe La. *S Elm* —1F **67**
Minsthorpe Va. *S Elm* —2E **67**
Mirey Butt La. *Knot* —2E **27**
(in two parts)
Molly Hurst La. *Wool* —4D **56**
Mona St. *Wake* —1C **32**
Monckton Dri. *C'frd* —5G **13**
Monckton Rd. *Wake* —5E **33**
Monckton Rd. Ind. Est. *Wake*
—5E **33**
Monkhill. —3H 25
Monkhill Av. *Pon* —3H **25**
Monkhill Dri. *Pon* —3H **25**
Monkhill La. *Pon* —1H **25**
Monkhill Mt. *Pon* —3H **25**
Monk St. *Wake* —2H **33**
Monkwood Rd. *Wake* —6F **7**
Montague St. *Wake* —4B **34**
Montcalm Cres. *Stan* —2B **20**
Monument La. *Pon* —6A **26**
Monument M. *Pon* —6A **26**
Moor Av. *Stan* —5A **8**
Moorfield Cres. *Hems* —5A **62**
Moorfield Pl. *Hems* —5A **62**
Moor Gro. *Stan* —5A **8**
Moorhouse Av. *Stan* —4D **8**
Moorhouse Av. *Wake* —1E **33**
Moorhouse Clo. *Nor* —2C **22**
Moorhouse Clo. *Stan* —4D **8**
Moorhouse Common. —5H 67
Moorhouse Ct. *S Elm* —4G **67**
Moorhouse Ct. M. *S Elm* —4G **67**
Moorhouse Cres. *Wake* —1E **33**
Moorhouse Gro. *Stan* —4D **8**
Moorhouse La. *Haig* —6A **56**
Moorhouse La. *Hamp* —5H **67**
Moorhouse La. *Wake* —5C **48**
Moorhouse Ter. *Stan* —5D **8**
Moorhouse Vw. *S Elm* —3H **67**
Moorhouse Vw. *Stan* —4D **8**
Moorings, The. *Wake* —5D **8**
Moor Knoll Clo. *E Ard* —3B **6**
Moor Knoll Dri. *E Ard* —3A **6**
Moor Knoll La. *E Ard* —2A **6**
Moorland Dri. *Hall G* —1D **56**
Moorland Pl. *Stan* —4A **8**
Moorlands Av. *Oss* —5C **16**
Moor La. *C'ton* —3H **39**
Moor La. *E Hard* —3C **40**
Moor La. *Upt* —4B **64**
Moor La. *Went* —4C **40**
Moor Rd. *F'stne* —2B **38**
Moor Rd. *Stan* —5A **8**
Moorroyd St. *Oss* —5C **16**
Moorshutt Rd. *Hems* —5A **62**
Moorside Cres. *Hall G* —1D **56**
Moorthorpe. —2E 67
Moor Top Av. *Ackw* —4C **50**

Moor Top Dri. *Hems* —6B **62**
Moor Vw. *Crig* —4D **44**
Moor Vw. *Meth* —1F **11**
Moor Vw. Clo. *C'frd* —4D **12**
Morley Av. *Knot* —2A **28**
Morrell Cres. *Wren* —2D **18**
Morris Clo. *Kin* —1H **61**
Morrison St. *C'frd* —4C **12**
Mortimer Clo. *Oss* —1F **31**
Mortimer Row. *Horb* —6F **31**
Morton Cres. *C'frd* —4D **12**
Morton Pde. *Wake* —1E **33**
Morvern Meadows. *Hems*
—4D **62**
Moss St. *C'frd* —3H **11**
Mostyn Wlk. *Hall G* —6D **44**
Mount Av. *Hems* —3B **62**
Mount Av. *Wren* —1D **18**
Mountbatten Av. *Out* —6G **7**
Mountbatten Av. *S'dal* —2A **46**
Mountbatten Cres. *Wake* —1G **19**
Mountbatten Gro. *Wake* —1H **19**
Mount Cres. *Wake* —4D **32**
Mountfields Wlk. *S Kirk* —4B **66**
Mt. Pleasant. *Ackw* —3D **50**
Mt. Pleasant. *C'frd* —5D **12**
Mt. Pleasant. *Wake* —5C **34**
Mt. Pleasant St. *F'stne* —1B **38**
Mount Rd. *Stan* —5B **8**
Mount, The. *C'frd* —4G **13**
Mount, The. *Nor* —3B **22**
Mount, The. *Pon* —5G **25**
Mount, The. *Wake* —4D **32**
Mount, The. *Wren* —4B **18**
Mount Wlk. *C'frd* —5B **12**
Mourning Fld. La. *Pon* —6F **53**
Moverley Flats. *Pon* —6A **26**
Moxon Clo. *Pon* —1H **39**
Moxon Gro. *Wake* —2F **19**
Moxon Pl. *Wake* —2A **32**
Moxon Sq. *Wake* —6H **19**
(in two parts)
Moxon St. *Wake* —1G **19**
Moxon Way. *Wake* —1G **19**
Muirfield Av. *F'stne* —4A **24**
Muirfield Dri. *Wake* —5E **33**
Mulberry Av. *Ryh* —2B **60**
Mulberry Gdns. *Meth* —1B **10**
Mulberry Ho. *C'frd* —4C **12**
(off Parklands)
Mulberry Pl. *Ryh* —2B **60**
Musgrave Ct. *Wake* —2B **32**
Myson Av. *Pon* —1B **26**

Navigation Rd. *C'frd* —2B **12**
Navigation Yd. *Wake* —2H **33**
Navvy La. *Ryh* —4F **59**
Naylor St. *Oss* —5C **16**
Nell Gap Av. *M'twn* —2A **42**
Nell Gap Cres. *Ove* —3A **42**
Nell Gap La. *Ove* —2A **42**
(in three parts)
Nelson St. *Nor* —2C **22**
Nelson St. *S Hien* —6E **61**
Nestfield Clo. *Pon* —2H **25**
Neston Way. *Oss* —4D **16**
Netherfield Av. *Neth* —3D **42**
Netherfield Clo. *C'frd* —6F **11**
Netherfield Cres. *Neth* —4D **42**
Netherfield Pl. *Neth* —3D **42**
Netherley Brow. *Oss* —4E **31**
Netheroyd. *S'hse* —2C **36**
Netheroyd Ct. *Shar C* —3B **36**
Netherton. —3D 42
Netherton Hall Dri. *Neth* —3D **42**
Netherton Hall Gdns. *Neth*
—3E **43**
Netherton La. *Horb* —3D **42**
Nettle La. *Wake* —6H **19**

Nettleton Ho. *Hems* —5B **62**
(off Lilley St.)
Nettleton St. *Oss* —1C **30**
Nettleton St. *Stan* —5D **8**
Neville Clo. *S Kirk* —2C **66**
Neville Rd. *Wake* —2A **32**
Neville St. *Nor* —4B **22**
Neville St. *Wake* —3B **34**
Nevison Av. *Pon* —2A **26**
Newall Cres. *Fitz* —6F **49**
New Arc. *S Kirk* —3B **66**
New Biggin Hill. —4G 45
New Brighton. —2F 33
New Brunswick St. *Wake* —3G **33**
Newbury Dri. *S Elm* —6C **64**
New Crofton. —2B 48
Newfield Av. *C'frd* —4C **12**
Newfield Av. *Nor* —4C **22**
Newfield Clo. *Nor* —4C **22**
Newfield Ct. *Nor* —3C **22**
Newfield Cres. *Nor* —4C **22**
Newfield Ho. *Nor* —3C **22**
New Fryston. —1G 13
Newgate. *Pon* —5G **25**
New Hall App. *Wake* —5A **42**
New Hall Clo. *Crig* —5C **44**
New Hall La. *Ove* —5A **42**
(in two parts)
New Hall Rd. *Pon* —2A **26**
New Hall Way. *Floc* —6A **42**
Newhaven. *C'thpe* —5D **44**
Newhill. *S Kirk* —4B **66**
Newlaithes Cres. *Nor* —3C **22**
Newland Clo. *Wake* —5A **34**
Newland Cres. *Dur* —2C **44**
Newland La. *Nor* —4G **21**
Newlands Dri. *Stan* —6A **8**
Newland St. *Knot* —6D **14**
Newland St. *Wake* —5A **34**
Newlands Wlk. *Stan* —6A **8**
Newland Vw. *Nor* —3H **21**
New La. *Beal* —1H **29**
New La. *C'frd* —6D **10**
New La. *Dur* —1C **44**
New La. *E Ard* —3H **5**
(in two parts)
New La. *Pon* —4H **25**
New La. *Upt* —5C **64**
New La. Cres. *Upt* —4C **64**
Newlyn Dri. *Wake* —5H **33**
Newmarket La. *Stan & Meth*
—4D **8**
Newmillerdam. —5F 45
Newmillerdam Country Park.
—1G 57
New Pk. La. *Oss* —5H **17**
Newport St. *Pon* —4G **25**
New Rd. *Bads* —1G **63**
New Rd. *Carl* —1H **7**
New Rd. *Horb* —6H **31**
New Rd. *Knot* —6C **14**
New Rd. *Old Sn* —5D **22**
New Rd. *Ove* —2A **42**
New Rd. *W Har* —6H **37**
New Rd. *Wool* —4E **57**
New Row. *Bads* —1A **64**
New Row. *K'gte* —3H **17**
New Row Cotts. *D'ton* —2E **41**
New Scarborough. —3E 43
New Sharlston. —2H 35
Newsholme La. *Dur* —2D **44**
Newstead. —1D 60
Newstead Av. *Fitz* —6G **49**
Newstead Av. *Wake* —6E **7**
Newstead Cres. *Fitz* —5G **49**
Newstead Dri. *Fitz* —6G **49**
Newstead Gro. *Fitz* —6G **49**
Newstead La. *H'cft & Fitz* —6E **49**
Newstead Mt. Fitz —6G 49
(off Newstead Av.)

Newstead Rd. *Wake* —6F **19**
Newstead Ter. *Fitz* —6G **49**
Newstead Vw. *Fitz* —6G **49**
New St. *Ackw* —4D **50**
New St. *C'frd* —2C **12**
New St. *Horb* —6H **31**
New St. *Kin* —1A **62**
New St. *Oss* —2D **30**
New St. *S Elm* —2E **67**
New St. *S Hien* —5D **60**
Newton Av. *Wake* —3F **19**
Newton Bar. *Wake* —5F **19**
Newton Clo. *Wake* —4F **19**
Newton Ct. *Wake* —1F **19**
Newton Dri. *C'frd* —4F **13**
Newton Dri. *Wake* —2G **19**
Newton Grn. *Wake* —4F **19**
Newton Hill. —3G 19
Newton La. *Wake* —1F **19**
New Town. —2H 25
Newtown Av. *Roys* —6D **58**
New Wellgate. *C'frd* —5D **12**
New Wells. *Wake* —2G **33**
Nicholson St. *C'frd* —4A **12**
Nidd Dri. *C'frd* —3F **13**
Nightingale Crest. *Wake* —3A **32**
Ninevah. —6H 51
Ninevah La. *Bads* —6H **51**
Nixon Clo. *Dew* —6A **30**
Nooking. *K'gte* —2H **17**
Nooking, The. *K'gte* —2H **17**
Nook, The. *Ting* —5E **5**
Nook Vw. *Ting* —5E **5**
Noon Clo. *Stan* —6A **8**
Norfolk Clo. *B'ton* —3E **15**
Norfolk Ho. *Wake* —4B **34**
Norgarth Clo. *Bat* —6A **4**
Norman Ho. *Nor* —5B **22**
Norman Pl. *Horb* —6H **31**
Normans Way. *Wake* —6B **34**
Normanton. —3B 22
Normanton By-Pass. *Norm &*
Old Sn —6A **22**
Normanton Common. —2D 22
Normanton Ind. Est. *Nor I* —2D **22**
Normanton N. Ind. Est. *Nor*
—2E **23**
Normanton St. *Horb* —1A **44**
Normanton Vw. *Nor* —5B **22**
North Av. *C'frd* —4F **11**
North Av. *Horb* —6A **32**
North Av. *Pon* —6F **25**
North Av. *S Elm* —3E **67**
North Av. *Wake* —5G **19**
N. Baileygate. *Pon* —4H **25**
North Clo. *F'stne* —4A **24**
Northcote. *Oss* —4C **16**
North Cres. *S Elm* —1H **67**
Northcroft. *S Elm* —2G **67**
Northcroft Av. *S Elm* —1G **67**
North Elmsall. —5D 64
North Featherstone. —4A 24
Northfield Av. *Knot* —2H **27**
Northfield Av. *Oss* —6D **16**
Northfield Dri. *Pon* —4A **26**
Northfield Gro. *S Kirk* —2C **66**
Northfield La. *S Kirk* —2B **66**
Northfield La. *Knot* —2H **27**
Northfield Rd. *Oss* —1D **30**
Northfield Rd. *Shar C* —4B **36**
Northfield St. *S Kirk* —2B **66**
Northgate. *Horb* —5G **31**
Northgate. *Pon* —4H **25**
Northgate. *S Hien* —5E **61**
Northgate. *Wake* —6F **19**
(in two parts)
Northgate Clo. *Pon* —4H **25**
Northgate Lodge. *Pon* —4H **25**

North Ives. *Pon* —4H **25**
(off Northgate)
Northlands. *Roys* —6E **59**
Northland Vw. Pon —4H 25
(off Bk. Northgate)
N. Lodge La. *D'ton* —3H **41**
North Rd. *Roys* —6F **59**
N. Road Ter. *Wake* —6F **19**
North St. *C'frd* —3A **12**
North St. *Fry* —1G **13**
North St. *Nor* —6A **22**
North St. *S Kirk* —2B **66**
North Vw. *Fitz* —5G **49**
North Vw. *Knot* —6G **15**
North Wlk. *Hems* —3B **62**
Norton Rd. *Wake* —6H **19**
Norton St. *Wake* —3A **34**
Norwood. *C'ton* —2C **40**
Nor Wood Rd. *Hems* —6B **62**
Norwood St. *Nor* —1D **22**
Nostell La. *Ryh* —1B **60**
Nostell Priory. —1E 49
Nostell Priory Holiday Home Pk.
Nost —6E **37**
Notton. —4C 58
Notton La. *Not* —4C **58**
Nunn's Av. *F'stne* —4B **38**
Nunn's Clo. *F'stne* —3B **38**
Nunn's Ct. *F'stne* —4A **38**
Nunn's Cft. *F'stne* —3B **38**
Nunn's Grn. *F'stne* —3B **38**
Nunn's La. *F'stne* —3B **38**
Nunn's Vw. *F'stne* —3A **38**

Oak Av. *Morl* —1B **4**
Oak Av. *Nor* —5A **22**
Oak Av. *Stan* —1B **20**
Oakdale Clo. *Loft* —5F **7**
Oakenshaw La. *W'ton & Croft*
—1C **46**
Oakenshaw St. *Wake* —4B **34**
Oakes St. *Wake* —1B **32**
Oakfield Cres. *Knot* —2H **27**
Oakfield Pk. *Thpe A* —5D **52**
Oak Gro. *Morl* —1B **4**
Oak Hall Pk. *Crig* —5A **44**
Oak Ho. C'frd —4C 12
(off Parklands)
Oakland Dri. *Neth* —4C **42**
Oakland Rd. *Neth* —4D **42**
Oakland Rd. *Wake* —4A **34**
Oaklands. *Rob H* —1E **7**
Oaklands Cft. *W'ton* —3D **46**
Oakleigh Av. *Wake* —2C **32**
Oakleigh Clo. *Shar C* —3B **36**
Oakley St. *Thpe* —2C **6**
Oak Ri. *Pon* —3A **26**
Oaksfield. *Meth* —1D **10**
Oaks, The. *Shar C* —3B **36**
Oak St. *New C* —2A **48**
Oak St. *S Elm* —4F **67**
Oak St. *Wake* —1G **19**
Oak Tree Gro. *Hems* —5D **62**
Oaktree La. *Pon* —4G **51**
Oak Tree Mdw. *W'ton* —3C **46**
Oakwell Av. *Nor* —1G **39**
Oakwell Rd. *Kin* —1G **61**
Oakwood. *Wake* —4B **32**
Oakwood Av. *Wake* —2B **32**
Oakwood Clo. *Nor* —1H **21**
Oakwood Dri. *Hems* —6C **62**
Oakwood Dri. *Nor* —1H **21**
Oakwood Gdns. *Cald G* —3B **44**
Oakwood Gro. *Horb* —5A **32**
Oban Clo. *Ting* —2D **4**
Oban Ter. *Ting* —2D **4**
Oddfellows Club Houses. *Ackw*
—4B **50**
Offley La. *Wake* —3H **49**

Old Boyne Hill Farm. *C'thpe*
—6E **45**
Old Chu. St. *Oss* —2D **30**
Old Crown Rd. *Wake* —4B **32**
Old Gt. North Rd. *B'ton* —2D **14**
(in two parts)
Old Hall Rd. *Ting* —3F **5**
Old La. *Wake* —2B **54**
Old Mill Clo. *Hems* —4A **62**
Old Mill Yd. *Oss* —4B **30**
Old Mt. Farm. *Wool* —4E **57**
Old Orchard, The. *Hems* —4B **62**
Old Rd. *Ove* —3A **42**
Old School Ct. *Cuts* —6A **12**
Old Snydale. —5D 22
Old Woodyard, The. *Midg* —1C **54**
Olivers Mt. *Oss* —5A **26**
Orange Tree Gro. *E Ard* —4A **6**
Orchard Av. *Stan* —6B **8**
Orchard Clo. *E Ard* —5B **6**
Orchard Clo. *Horb* —5G **31**
Orchard Clo. *Wren* —2C **18**
Orchard Cft. *Horb* —6H **31**
Orchard Cft. *Wake* —3C **18**
Orchard Cft. *W'ton* —2C **46**
Orchard Dri. *Ackw* —4E **51**
Orchard Dri. *Dur* —2D **44**
Orchard Dri. *S Hien* —5D **60**
Orchard Gdns. *Dur* —2D **44**
Orchard Head Clo. *Pon* —2B **26**
Orchard Head Cres. *Pon* —1B **26**
Orchard Head Dri. *Pon* —2A **26**
Orchard Head La. *Pon* —1H **25**
Orchard Rd. *Wake* —6A **34**
Orchards, The. *Meth* —1C **10**
Orchard, The. *Croft* —4B **36**
Orchard, The. *F'stne* —4B **24**
Orchard, The. *Nor* —3B **22**
Orchard, The. *Oss* —2D **30**
Orchard, The. *Pon* —2B **40**
Orchard, The. *Wren* —2D **18**
Orchard Vw. *B'ton* —3E **15**
Orchard Vw. *D'ton* —2E **41**
Orchard Vw. *S Kirk* —2B **66**
Orchid Ct. *Loft* —1F **7**
Orchid Crest. *Upt* —4C **64**
Orwell Clo. *C'frd* —6G **13**
Osborne Av. *Horb* —4A **32**
Ossett. —2D 30
Ossett La. *Dew* —6A **16**
Ossett Spa. —4G 31
Ossett Street Side. —5B 16
Otters Holt. *Dur* —2D **44**
Ouchthorpe Fold. *Out* —2G **19**
Ouchthorpe La. *Wake* —2G **19**
Outwood. —1F 19
Outwood Pk. Ct. *Out* —1E **19**
Ouzlewell Green. —2H 7
Ouzlewell Grn. *Loft* —1H **7**
Oval, The. *Beal* —1F **29**
Oval, The. *Nor* —5D **58**
Overcroft, The. *Horb* —6G **31**
Overton. —3A 42
Overtown. —4D 46
Owler's La. *Pon* —5B **52**
Owlett Mead. *Thpe* —2C **6**
Owlett Mead Clo. *Thpe* —2C **6**
Owl La. *Dew & Oss* —2A **16**
(in two parts)
Oxford Ct. Gdns. *C'frd* —4A **12**
Oxford Rd. *Wake* —5F **19**
Oxford St. *E Ard* —3C **6**
Oxford St. *F'stne* —2A **38**
Oxford St. *Nor* —2C **22**
Oxford St. *S Elm* —3F **67**
Oxford St. *Wake* —4A **34**

Pacaholme Rd. *Wake* —5B **18**
Paddocks, The. *D'ton* —3F **41**

Old Boyne Hill Farm. *C'thpe*
—6E **45**
Paddock, The. *C'frd* —5G **13**
Paddock, The. *Knot* —2H **27**
Paddock, The. *Nor* —4B **22**
Paddock, The. *Wake* —3E **19**
Paddock, The. *Wool* —4E **57**
Paddock Vw. *C'frd* —5F **13**
Painthorpe. —5B 44
Painthorpe La. *Crig* —5B **44**
Painthorpe Ter. *Crig* —5C **44**
Paleside. —5D **16**
Paleside La. *Oss* —6D **16**
Palesides Av. *Oss* —5D **16**
Palmer's Av. *S Elm* —3H **67**
Palmer Sq. *Oss* —4C **16**
Pannal Av. *Wake* —5A **20**
Paradise Fields. *Pon* —4H **25**
Park Av. *C'frd* —4D **12**
Park Av. *D'ton* —2E **41**
Park Av. *K'thpe* —6F **21**
Park Av. *Loft* —5G **7**
Park Av. *Nor* —3B **22**
Park Av. *Out* —1E **19**
Park Av. *Pon* —5F **25**
Park Av. *S Kirk* —3B **66**
Park Av. *Wake* —3F **33**
Park Clo. *D'ton* —2E **41**
Park Clo. *Nor* —4A **22**
Park Ct. *F'stne* —4B **24**
Park Ct. *Oss* —3F **31**
Park Cres. *C'frd* —4G **13**
Park Crest. *Hems* —5B **62**
Park Dale. *C'frd* —2G **13**
(in two parts)
Park Dri. *Loft* —4G **7**
Parker Av. *Nor* —1G **21**
Parker Rd. *Horb* —6A **32**
Parker St. *E Ard* —4A **6**
Park Est. *S Kirk* —3C **66**
Parkfield Dri. *Oss* —2G **31**
Parkfield La. *F'stne & Pon* —4A **24**
Parkfield Vw. *Oss* —2G **31**
Park Gdns. *Oss* —3F **31**
Parkgate. *S Kirk* —4B **66**
Parkgate Av. *Wake* —1A **34**
Park Grn. *Nor* —4A **22**
Park Grn. Rd. *Nor* —4H **21**
Park Gro. *Horb* —5F **31**
Park Gro. Rd. *Wake* —2E **33**
Pk. Hill Cres. *Wake* —1A **34**
Pk. Hill Gro. *Wake* —1B **34**
Pk. Hill La. *Wake* —1A **34**
Pk. Hill Wlk. *Wake* —1H **33**
Parkinson Clo. *Wake* —1A **34**
Parklands. *C'frd* —4C **12**
Parklands. *Oss* —3F **31**
Parklands Av. *Horb* —6E **31**
Parklands Ct. *Horb* —6E **31**
Parklands Cres. *Horb* —6E **31**
Parklands Dri. *Horb* —6E **31**
Park La. *Bret* —4E **55**
Park La. *F'stne & Pon* —4B **24**
Park La. *Haig* —4E **55**
Park La. *Meth* —2A **10**
Park Lodge Ct. *Wake* —1A **34**
Park Lodge Cres. *Wake* —1A **34**
Park Lodge Gro. *Wake* —1H **33**
Park Lodge La. *Wake* —1H **33**
Pk. Mill La. *Oss* —5F **17**
Park Pl. *Pon* —5F **25**
Park Ri. *C'frd* —4D **12**
Park Rd. *C'frd & Pon* —6E **13**
Park Rd. Retail Pk. *Pon* —3G **25**
Parkside La. *Stan* —3A **20**
Park Sq. *Loft* —5G **7**
Park Sq. *Oss* —3F **31**
Park St. *Horb* —6G **31**
Park St. *Oss* —3F **31**
Park St. *Wake* —2H **33**
Park Ter. *S Elm* —3H **67**
Park Vw. *C'frd* —5F **13**

Rawgate Av. *C'frd* —3G **11**
Rayfield. *Wake* —2D **32**
Rayner St. *Horb* —6G **31**
Rectory Av. *C'frd* —3B **12**
Rectory Gth. *Hems* —4B **62**
Rectory St. *C'frd* —3B **12**
Red Hall La. *Wake* —4E **19**
(in two parts)
Red Hill. —4E 13
Redhill Av. *C'frd* —5D **12**
Redhill Av. *Ting* —6E **5**
Redhill Clo. *Ting* —6E **5**
Redhill Cres. *Ting* —6E **5**
Redhill Dri. *C'frd* —4E **13**
Redhill Dri. *Ting* —6E **5**
Redhill Gdns. *C'frd* —5E **13**
Redhill Mt. *C'frd* —4E **13**
Redhill Rd. *C'frd* —4E **13**
Redhill Vw. *C'frd* —5E **13**
Redland Cres. *Kin* —1H **61**
Red La. *S'hse* —2E **37**
Red La. *Wake & New S* —2G **35**
Redmayne Gro. *Knot* —1F **27**
Redruth Dri. *Nor* —2B **22**
Redwood Av. *Ting* —3G **5**
Redwood Gro. *Shar C* —3C **36**
Regency Gdns. *Ting* —3G **5**
Regent Cres. *S Hien* —6E **61**
Regents Pk. *Wake* —1A **34**
Regent St. *C'frd* —4A **12**
Regent St. *F'stne* —2A **38**
Regent St. *Hems* —4A **62**
Regent St. *Horb* —6F **31**
Regent St. *Nor* —1C **22**
Regent St. *S Elm* —2E **67**
Regent St. *S Hien* —6E **61**
Regent St. *Wake* —3A **34**
Regina Cres. *H'cft* —2C **60**
Reid Pk. *Av. Horb* —6E **31**
Rein Gdns. *Ting* —3C **4**
Rein M. *Ting* —3C **4**
Rein Rd. *Morl & Ting* —2B **4**
Rein St. *Morl* —2C **4**
Rembrandt Av. *Wake* —3F **5**
Rembrant Av. *Wake* —3F **5**
Renfield Gro. *Nor* —2D **22**
Rhodes Cres. *Pon* —1H **39**
Rhodes Gdns. *Loft* —5G **7**
Rhodes St. *C'frd* —3A **12**
Rhodes St. *H'town* —4H **11**
Rhyddings Av. *Ackw* —4D **50**
Rhyddings Dri. *Ackw* —4D **50**
Rhyl St. *F'stne* —1B **38**
Richard St. *Wake* —6G **19**
Richmond Av. *Knot* —6D **14**
Richmond Av. Pon —4H 25
(off Richmond Ct.)
Richmond Clo. *Morl* —1A **4**
Richmond Ct. *Croft* —1A **48**
Richmond Ct. *Pon* —4H **25**
Richmond Gth. *Oss* —3F **31**
Richmond Rd. *Upt* —4C **64**
Richmond Rd. *Wake* —5F **19**
Richmond St. *C'frd* —4B **12**
Richmond Ter. Pon —4H 25
(off Finkle St.)
Riddings Clo. *Hems* —6B **62**
Ridge Av. *M'twn* —2A **42**
Ridge Cres. *M'twn* —3A **42**
Ridgedale Mt. *Pon* —1H **25**
Ridgefield St. *C'frd* —4A **12**
Ridge Rd. *M'twn* —2A **42**
Ridgestone Av. *Hems* —4C **62**
Ridgeway Sq. *Knot* —2H **27**
Ridgeway, The. *Knot* —2H **27**
Ridings Clo. *Loft* —5F **7**
Ridings Ct. *Loft* —5F **7**
Ridings Gdns. *Loft* —5F **7**
Ridings La. *Loft* —5F **7**
Ridings M. *Loft* —5F **7**

Ridings Shop. Cen., The. *Wake*
—1G **33**
Ridings Way. *Loft G* —5F **7**
Rigg La. *Ackw & E Hard* —2G **51**
Riglet La. *Wake* —5G **37**
Rill Ct. *Hems* —4B **62**
Ring O Bells Yd. *Horb* —6G **31**
Ringwood Ct. *Out* —6H **7**
Ringwood Way. *Hems* —4C **62**
Ripley Ct. *Nor* —5B **22**
Ripley Dri. *Nor I* —2D **22**
Rise, The. *B'ton* —3E **15**
Rise, The. *Pon* —6A **26**
Rishworth Clo. *Wren* —3C **18**
Rishworth St. *Wake* —6G **19**
Rivelin Rd. *C'frd* —5A **12**
Riverdale Av. *Stan* —3B **20**
Riverdale Clo. *Stan* —3B **20**
Riverdale Cres. *Stan* —3B **20**
Riverdale Dri. *Stan* —3B **20**
Riverdale Rd. *Stan* —3B **20**
Rivermead. *Wake* —4H **33**
Riverside Vs. *Wake* —4H **33**
River Vw. *C'frd* —3H **11**
Robbins Ter. *Wake* —1B **38**
Robertsgate. *Loft* —2F **7**
Robertsgate Sq. Loft —2F 7
(off Robertsgate)
Roberts Way. *Wake* —6B **34**
Robin Hood Av. *Roys* —6F **59**
Robin Hood Cres. *Wake* —3B **32**
Robin Hood St. *C'frd* —4C **12**
Robinia Wlk. *Wake* —5E **19**
Robin La. *Hems* —6F **61**
Robin La. *Pon* —2H **25**
Robin La. *Roys* —6F **59**
Robinson St. *Pon* —4H **25**
Robson's Rd. *Wake* —1F **33**
Rochester Ct. *Horb* —4A **32**
Rochester Dri. *Horb* —4A **32**
Rock Hill. *C'frd* —5D **12**
Rockingham La. *Pon* —4A **52**
Rockingham St. *Fitz* —6H **49**
Rockley Dri. *Wake* —3F **45**
Rock Ter. *C'frd* —5E **13**
Rockwood Cres. *Cald G* —3B **44**
Rodger La. *Wren* —3D **18**
Rodney Yd. *Wake* —1G **33**
Roger Dri. *Wake* —6H **33**
Rogers Ct. *Stan* —5B **8**
Roman Ri. *Pon* —2G **39**
Romford Av. *Morl* —1A **4**
Rook Hill Dri. *Pon* —6A **26**
Rookhill Mt. *Pon* —6B **26**
Rookhill Rd. *Pon* —6B **26**
Rook's Nest Rd. *Out & Stan*
—1G **19**
Ropergate. *Pon* —5G **25**
Ropergate End. Pon —5G 25
(off Ropergate)
Ropewalk. *Knot* —2A **28**
Rose Av. *Upt* —4B **64**
Rose Clo. *Upt* —4C **64**
Rosedale Av. *Wake* —1A **46**
Rose Dale Clo. *Norm* —4D **22**
Rosedale Clo. *Upt* —4D **64**
Rose Farm App. *Nor* —1H **21**
Rose Farm Clo. *Nor* —6H **9**
Rose Farm Fold. *Nor* —6H **9**
Rose Farm Ri. *Nor* —6H **9**
Rose Gth. *Croft* —6H **35**
Rose Gro. *Upt* —4C **64**
Rosehill Av. *Hems* —5A **62**
Rose La. *Ackw* —4B **50**
Roslyn Clo. *Ackw* —4D **50**
Rossiter Dri. *Knot* —2F **27**
Rosslyn Av. *Ackw* —4D **50**
Rosslyn Ct. *Ackw* —4D **50**
Rosslyn Ct. *Dew* —6A **16**

Rosslyn Gro. *Ackw* —4D **50**
Round Hill. —5B 12
Roundhill Rd. *C'frd* —4B **12**
Round St. *Wake* —3A **34**
Roundwood Crest. *Wake* —2A **32**
Roundwood Ind. Est. *Oss* —2H **31**
Roundwood Ri. *Wake* —3B **32**
Roundwood Rd. *Oss* —3G **31**
Rowan Av. *Nor* —5A **22**
Rowan Clo. *Knot* —3F **27**
Rowan Ct. *Wake* —5D **18**
Rowan Grn. *Pon* —4B **26**
Rowe Clo. *S Elm* —1G **67**
Rowlands Av. *Upt* —4C **64**
Rowley La. *S Elm* —4G **67**
Roxburghe Dale. *Norm* —4D **22**
Royal Birkdale Way. *Norm* —4D **22**
Royal Ct. *Pon* —2F **39**
Royd Head Farm. *Oss* —2C **30**
Royd Moor. —3F 63
Royd Moor La. *Hems* —2D **62**
(in two parts)
Royds Av. *C'frd* —3G **13**
Royds Av. *Oss* —5C **16**
Royds Green. —1C 8
Royds Gro. *Wake* —6G **7**
Royds La. *Rothw* —1C **8**
Royles Clo. *S Kirk* —3C **66**
Royston Clo. *E Ard* —5B **6**
Royston Hill. *E Ard* —5B **6**
Rufford Clo. *Ryh* —3A **60**
Rufford St. *Wake* —1D **32**
Rumble Rd. *Dew* —4A **16**
Runtlings. —2C 30
Runtlings. *Oss* —2C **30**
Runtlings La. *Oss* —3C **30**
Runtlings Ter. *Oss* —2C **30**
Runtlings, The. *Oss* —2B **30**
Rushworth Clo. *Stanl* —6A **8**
Ruskin Av. *Wake* —3E **19**
Ruskin Clo. *C'frd* —3E **13**
Ruskin Ct. *Wake* —3D **18**
Ruskin Dri. *C'frd* —3E **13**
Ruskin Pl. *C'frd* —3E **13**
Russell Av. *Hall G* —6D **44**
Russell St. *Wake* —3G **33**
Russets, The. *S'dal* —2A **46**
Rutland Av. *Pon* —2H **39**
Rutland Av. *Wake* —5G **33**
Rutland Dri. *Croft* —5E **35**
Rutland Ind. Est. *Wake* —2H **33**
Ryburn Pl. *Wake* —2F **33**
Rydal Cres. *Wake* —6C **18**
Rydal Dri. *Wake* —6C **18**
Rydale Ct. *Oss* —3D **30**
Rydal St. *C'frd* —3H **13**
Ryder Clo. *Pon* —5F **25**
Ryebread. *C'frd* —2C **12**
Ryecroft Av. *H'cft* —1C **60**
Ryecroft Clo. *Wake* —6G **7**
Ryecroft St. *Oss* —6C **16**
Ryedale Av. *Knot* —3G **27**
Ryedale Clo. *Nor* —6A **10**
Ryedale M. Oss —1D 30
(off Ryedale Ct.)
Ryedale Pl. *Nor* —6A **10**
Ryedale Way. *Ting* —4E **5**
Rye Way. *C'frd* —3F **13**
Ryhill. —2B 60
Ryhill Ind. Est. *Ryh* —2B **60**
Ryhill Pits La. *Ryh* —2F **59**
Rylstone Gro. *Wake* —5A **20**

Saddlers Cft. *C'frd* —5F **13**
Saddler's La. *Knot* —2E **15**
Sagar St. *C'frd* —3B **12**
St Aiden's Wlk. *Oss* —3G **31**
St Andrews Dri. *F'stne* —4B **24**
St Andrew's Dri. *Knot* —6E **15**

St Andrew's Rd. *C'frd* —2H **13**
St Anne's St. *Ryh* —2B **60**
St Annies Vs. *Pon* —3A **26**
St Bartholomews Ct. *Wake*
—3A **32**
St Bernard's Av. *Pon* —5F **25**
St Botolphs Clo. *Knot* —2A **28**
St Catherine St. *Wake* —4B **34**
St Catherine's Vs. *Wake* —4B **34**
St Clair Grn. *Wake* —5B **18**
St Clair St. *Wake* —1H **33**
St Clements Ct. *Ackw* —4C **50**
St Cuthberts Ct. *Ackw* —6E **39**
St Edmund's Clo. *C'frd* —3G **13**
St Edwards Clo. *Byr* —4G **15**
St Georges Ct. *H'cft* —1D **60**
St Georges M. *Wake* —4E **45**
St George's Rd. *Wake* —4B **32**
St George's Wlk. *Wake* —3G **45**
St Giles Av. *Pon* —6H **25**
St Giles Vw. *Pon* —6H **25**
St Helen's Av. *Hems* —4A **62**
St Helens Gro. *Wake* —6B **34**
St Helens Pl. *C'frd* —4C **12**
St Ives Clo. *Pon* —2H **25**
St James Ct. *H'cft* —2C **60**
St James Ri. *Wake* —3A **32**
St James's Ct. *Wake* —3F **33**
St James's Pk. *Wake* —1A **34**
St James Way. *Crig* —3D **44**
St John's Av. *Oss* —2G **31**
St John's Av. *Wake* —5F **19**
St John's Chase. *Wake* —6F **19**
St John's Clo. *Oss* —2G **31**
St John's Ct. *Wake* —6F **19**
St John's Cres. *Nor* —6A **22**
St John's Cres. *Oss* —2F **31**
St John's Cft. *Wake* —6F **19**
St John's Gro. *Wake* —5G **19**
St John's M. *Wake* —6F **19**
St John's Mt. *Wake* —5F **19**
St John's N. *Wake* —6F **19**
St John's Sq. *Wake* —6F **19**
St John's St. *Horb* —6E **31**
St Josephs Mt. *Pon* —6F **25**
St Leonards Yd. *Horb* —6G **31**
St Luke's Clo. *M'twn* —2B **42**
St Margaret's Ct. *N Elm* —5D **64**
St Margaret's Rd. *Meth* —1D **10**
St Mark's St. *Wake* —6H **19**
St Martins Clo. *F'stne* —3A **38**
St Martin's Gro. *C'frd* —5H **11**
St Mary's Av. *Nor* —1H **21**
St Mary's Clo. *S Elm* —3G **67**
St Mary's Pl. *C'frd* —3A **12**
St Mary's Rd. *Nor* —2H **21**
St Michael's Av. *Pon* —5F **25**
St Michael's Clo. *C'frd* —4B **12**
St Michael's Clo. *Wake* —2E **33**
St Michael's Grn. *Nor* —4A **22**
St Michael's Ho. *Wake* —2E **33**
St Nicholas St. *C'frd* —4B **12**
St Oswald Av. *Pon* —5F **25**
St Oswald Ct. Hems —5C 62
(off Baylee St.)
St Oswald Rd. *Wake* —2A **32**
St Oswalds Pl. *Oss* —6E **17**
St Oswald St. *C'frd* —3B **12**
St Paul's Clo. *Upt* —3F **65**
St Pauls Ct. *Pon* —2A **26**
St Paul's Dri. *Wake* —5B **18**
St Paul's Wlk. *Wake* —5B **18**
St Peters Ct. *Horb* —5G **31**
St Peter's Cres. *Stan* —5D **8**
St Peters Ga. *Oss* —6D **16**
St Peter's Gro. *Horb* —6H **31**
St Swithins Dri. *Wake* —3B **20**
St Swithins Gro. *Stan* —3B **20**
St Thomas Rd. *F'stne* —2B **38**
St Thomas's Ter. *Pon* —2B **26**

Salisbury Clo. *Dew* —5A **16**
Salisbury Clo. *Nor* —2B **22**
Salter Row. *Pon* —5H **25**
Saltersgate Av. *Knot* —6G **15**
Salt Pie All. *Wake* —2F **33**
Samuel Dri. *Stan* —6A **8**
Sandal. —6H 33
Sandal Av. *Wake* —6A **34**
Sandal Cliff. *Wake* —1A **46**
Sandal Hall Clo. *Wake* —6B **34**
Sandal Hall M. *Wake* —6A **34**
Sandal Magna. —6A 34
Sandal Ri. *Thpe A* —4C **52**
Sandbeds Trad. Est. *Oss* —6E **17**
Sanderson Av. *Nor* —4A **22**
Sanderson La. *Oult* —1C **8**
Sanderson St. *Wake* —1H **33**
Sandford Rd. *S Elm* —6C **64**
Sandhill Clo. *Pon* —1H **25**
Sandhill Lawn. *Pon* —6G **25**
Sandhill Ri. *Pon* —2H **25**
Sandholme Dri. *Oss* —2D **30**
Sand La. *Upt* —4D **64**
Sandown Av. *Croft* —6H **35**
Sandringham Av. *Knot* —1E **27**
Sandringham Clo. *Pon* —2G **39**
Sandringham Rd. *Knot* —4F **15**
Sandrock Rd. *Dur* —3A **26**
Sandybridge La. *Shaf* —6A **60**
Sandy Ga. La. *Ackw & E Hard*
—4F **39**
Sandygate La. *Hems* —4A **62**
Sandy La. *M'twn* —2B **42**
Sandy Wlk. *Wake* —6F **19**
Sanquah Ter. *Nor* —2C **22**
Santingley La. *New C* —2A **48**
Sarah St. *E Ard* —3B **6**
Saunters Way. *Altft* —1A **22**
Savile Dri. *Horb* —5G **31**
Savile Pit La. *Dew* —4A **16**
Savile Precinct. *C'frd* —3A **12**
Savile Rd. *C'frd* —3A **12**
Savile Rd. *Meth* —1D **10**
Saville Clo. *Loft* —2G **7**
Saville Pk. *Oss* —3F **31**
Saville St. *Oss* —3F **31**
Saville St. *Wake* —6G **19**
Sawley Clo. *Wake* —5A **20**
Saw Yd. *Wake* —1G **33**
Saxon Av. *S Kirk* —3A **66**
Saxon Clo. *Upt* —4G **65**
Saxondale Ct. *Horb* —5H **31**
Saxon Gro. *S Kirk* —4A **66**
Saxon Mt. *S Kirk* —3A **66**
Saxon Way. *C'frd* —3E **13**
Scarborough La. *Ting* —2D **4**
Scarborough St. *Ting* —2D **4**
Scarth Ter. *Stan* —5D **8**
Scawthorpe Clo. *Pon* —4B **26**
Scholes Fld. La. *Thpe A* —4C **52**
Scholes Rd. *C'frd* —6H **13**
Scholey Hill. —3A 10
Schoolaboards La. *Pon* —5B **26**
School Clo. *Wake* —3B **36**
School Cres. *Wake* —3B **32**
School Cft. *B'ton* —3E **15**
School Dri. *Knot* —6E **15**
School Hill. *N'dam* —5F **45**
School La. *C'frd* —5D **12**
School La. *Horb* —6G **31**
School La. *Ryh* —2B **60**
School La. *Wake* —3C **18**
(in two parts)
School La. *W'ton* —2C **46**
School Rd. *Pon* —6A **26**
School Rd. *Wake* —3B **32**
School St. *C'frd* —3A **12**
(nr. Savile Rd.)
School St. *C'frd* —2C **12**
(nr. Wheldon Rd.)

School St. *Chick* —5B **16**
School St. *Oss* —4C **16**
School St. *Ting* —6D **4**
School St. *Upt* —2F **65**
School Yd. *Horb* —6H **31**
Scott Dri. *Croft* —1B **48**
Seckar La. *Wool* —3E **57**
Secker St. *Wake* —4F **33**
Second Av. *Fitz* —5G **49**
Second Av. *Horb* —6F **31**
Second Av. *Pon* —4A **66**
Second Av. *Upt* —3C **64**
Second Av. *Wake* —3F **19**
Selby St. *Wake* —6H **19**
Selso Dri. *Dew* —4A **16**
Sessions Ho. Yd. *Pon* —4G **25**
Sewerbridge La. *Pon* —4F **23**
Seymour St. *Wake* —3G **33**
Shaftesbury Av. *Beal* —1F **29**
Shakespeare Av. *Fitz* —6A **22**
Shakespeare Cres. *C'frd* —6H **13**
Sharlston. —4C 36
Sharlston Common. —3B 36
Sharnaley Ct. *Pon* —6C **26**
Sharon Cotts. *Oss* —6D **16**
(off Northfield Rd.)
Shaw Av. *Nor* —3C **22**
Shaw Clo. *Nor* —3C **22**
Shaw Clo. *S Elm* —1G **67**
Shaw Cross. —3A 16
Shaw Fold. *Wake* —6A **34**
Shaw Ri. *Nor* —3C **22**
Shay Ct. *Croft* —6G **35**
Shayfield La. *Carl* —1H **7**
Shay La. *W'ton & Croft* —3C **46**
Sheepwalk La. *C'frd* —5G **13**
Sheepwalk La. *Upt* —2G **65**
(in two parts)
Sheldrake Rd. *C'frd* —5B **12**
Shelley St. *Horb* —5A **32**
Shelley Dri. *Knot* —1D **26**
Shelley Wlk. *Stan* —5A **8**
Shepherd Hill. —1G 31
Shepley St. *Wake* —1A **34**
Shepstye Rd. *Horb* —6G **31**
Sheridan St. *Out* —6G **7**
Sherwood Dri. *Wake* —4D **44**
Sherwood Gro. *Wake* —3C **32**
Sherwood Ind. Est. *Rob H* —1F **7**
Shillinghill La. *Knot* —3E **27**
Shilling St. *Wake* —5H **19**
Shinwell Dri. *Upt* —3F **65**
Ship Yd. *Wake* —2H **33**
Shires Gro. *Stan* —6B **8**
Shoe Mkt. *Pon* —5H **25**
Shop La. *Loft* —3F **7**
Short St. *Dew* —6A **16**
Short St. *Fitz* —2A **38**
Shutt, The. *Horb* —1H **43**
Sides Clo. *Pon* —1H **39**
Sides Rd. *Pon* —1H **39**
Sike La. *W'ton* —4D **46**
Silcoates Av. *Wren* —4C **18**
Silcoates Ct. *Wake* —5B **18**
Silcoates Dri. *Wren* —4C **18**
Silcoates La. *Wren* —4B **18**
Silcoates St. *Wake* —5D **18**
Silk Stone Ct. *Nor* —1H **21**
Silkstone Cres. *Wake* —3G **45**
Silkstone Crest. *Nor* —1H **21**
Silkstone Ho. *Pon* —4H **25**
Silver St. *N Hill* —2F **19**
Silver St. *Wake* —1G **33**
Simpson Rd. *S Elm* —1H **67**
Simpsons La. *Knot* —2F **27**
Simpson St. *E Ard* —3C **6**
Sinclair Gth. *Wake* —2A **46**
Sissons Rd. *Leeds* —1H **5**
Siward St. *Fitz* —5G **49**
Skelbrooke Dri. *Pon* —2H **39**

Skinner La. *Pon* —4H **25**
Skye Cft. *Roys* —6E **59**
Slack La. *Croft* —1H **47**
Slack La. *N'dam* —5F **45**
(in two parts)
Slack La. *S Hien* —6B **60**
Sleep Hill La. *Upt* —4G **65**
Slutwell La. *Pon* —5H **25**
Smallpage Yd. *Wake* —1G **33**
Smallwood Gdns. *Dew* —2B **16**
Smallwood Rd. *Dew* —2A **16**
(in two parts)
Smawell La. *Not* —4C **58**
Smawthorne Av. *C'frd* —4B **12**
Smawthorne Gro. *C'frd* —4B **12**
Smawthorne La. *C'frd* —4B **12**
Smeaton Rd. *Upt* —3F **65**
Smirthwaite St. *Wake* —5G **19**
Smirthwaite Vw. *Nor* —4A **22**
Smithson Av. *C'frd* —4F **13**
Smith St. *C'frd* —2D **12**
(nr. Green La.)
Smith St. *C'frd* —1G **13**
(nr. Wheldon Rd.)
Smith St. *Wake* —1F **33**
Smith Wlk. *S Elm* —1G **67**
Smith Way. *Oss* —6E **17**
Smithy Brook La. *Dew* —6A **30**
Smithy Clo. *Croft* —1H **47**
Smithy La. *Ove* —3A **42**
Smithy La. *Ting* —3F **5**
Smithy Pde. *Dew* —6A **30**
Snapethorne Ga. *Wake* —3A **32**
Snapethorpe Cres. *Wake* —3B **32**
Snapethorpe Rd. *Wake* —3B **32**
Snowdon Av. *Knot* —1E **27**
Snow Hill. —3E 19
Snow Hill Clo. *Wake* —4E **19**
Snow Hill Ri. *Wake* —4E **19**
Snow Hill Vw. *Wake* —5F **19**
Snydale. —2E 37
Snydale Av. *Nor* —4C **22**
Snydale Clo. *Nor* —4C **22**
Snydale Ct. *Nor* —4C **22**
Snydale Gro. *Nor* —4C **22**
Snydale Rd. *Nor* —3B **22**
Soho Gro. *Wake* —1E **33**
Solway Rd. *Bat* —3A **4**
Somerset Ct. *Knot* —1H **27**
Sorrell Clo. *Pon* —6H **25**
Sotheron Cft. *D'ton* —2E **41**
South Av. *C'frd* —4F **11**
South Av. *Horb* —6A **32**
South Av. *Pon* —6F **25**
South Av. *S Elm* —3E **67**
S. Baileygate. *Pon* —4A **26**
South Cres. *S Elm* —1H **67**
Southdale Gdns. *Oss* —2E **31**
Southdale Rd. *Oss* —2E **31**
South Dri. *Wake* —6H **33**
South Elmsall. —2G 67
Southfield Av. *F'stne* —3H **37**
(in two parts)
Southfield Clo. *Horb* —6H **31**
Southfield Clo. *Wren* —4C **18**
Southfield Fold. *Horb* —1H **43**
Southfield La. *Horb* —6G **31**
(in two parts)
Southfield Rd. *Knot* —2H **27**
Southfield Rd. *Shar C* —4B **36**
Southfields Vw. *Neth* —4D **42**
Southgate. *Pon* —5H **25**
South Ga. *S Hien* —5E **61**
Southgate. *Wake* —1G **33**
South Hiendley. —5D 60
South Kirkby. —2C 66
Southlands Clo. *Bads* —1A **64**
South La. *Neth* —6D **42**
Southmoor La. *Knot* —4C **28**
Southmoor Rd. *Hems* —6B **62**

South Ossett. —3E 31
South Pde. *Oss* —3G **31**
South Pde. *Wake* —1G **33**
S. Park Way. *Wake B* —1D **18**
South St. *H'cft* —2D **60**
South St. *Hems* —5C **62**
South St. *Nor* —6A **22**
South St. *Oss* —3D **30**
South St. *Wake* —2H **33**
South Ter. *Oss* —4E **31**
South Vw. *C'frd* —6C **12**
South Vw. *Crig* —5B **44**
South Vw. *F'stne* —1B **38**
South Vw. *Fry* —1G **13**
South Vw. *Ting* —6D **4**
S. View Gdns. *Pon* —5B **26**
Southwell La. *Horb* —6G **31**
Sovereign Gdns. *Nor* —3A **22**
Sowgate La. *Pon & F'bri* —3C **26**
Sowood Av. *Oss* —4E **31**
Sowood Gdns. *Oss* —4F **31**
Sowood La. *Oss* —4F **31**
Sowood Vw. *Oss* —3F **31**
Spa Cft. Rd. *Oss* —3G **31**
Spa Fold. *Stan* —1B **20**
Spa Gro. *Wake* —4C **32**
Spa La. *Oss* —3G **31**
Sparable La. *Wake* —4A **34**
Spa St. *Oss* —3H **31**
Spawd Bone La. *Knot* —2G **27**
Speak Clo. *Wake* —5B **20**
Speedwell Rd. *W'wood* —6F **11**
Spencer Av. *Morl* —1A **4**
Spenslea Gro. *Morl* —1A **4**
Spink La. *Pon* —4H **25**
Spink Well La. *Wake* —2F **5**
Spinney, The. *Wake* —2A **46**
Spitalgate La. *Pon* —6D **26**
Spittal Hardwick La. *C'frd & Pon*
—5G **13**
Spout Fold *Wake* —1B **32**
Spring Bank. *Pon* —6H **25**
Springbank M. *Loft* —4D **6**
Spring End. —5H 31
Spring End Rd. *Horb* —4H **31**
Springfield Av. *Hems* —5C **62**
Springfield Av. *Knot* —2B **28**
Springfield Av. *Pon* —4B **26**
Springfield Grange. *Wake* —1B **32**
Springfield Mt. *S Elm* —4E **67**
Springfields. —2B 28
Springfields. *C'frd* —3C **12**
Springfields. *Knot* —2B **28**
Springfield Vw. *Ack* —5G **23**
Spring Hill. —6H 35
Springhill Av. *Croft* —6A **36**
Springhill Clo. *Out* —6E **7**
Springhill Dri. *Croft* —6A **36**
Springhill Gro. *Croft* —6A **36**
Springhill Mt. *Croft* —1A **48**
Springhills. *Out* —6E **7**
Spring La. *New C* —2B **48**
Spring Mill La. *Oss* —1F **31**
Springs, The. *Wake* —1G **33**
Springstone Av. *Hems* —4C **62**
Springstone Av. *Oss* —6D **16**
Spring Ter. *S Elm* —3F **67**
Springvale Clo. *Shar C* —4B **36**
Springvale Ri. *Hems* —3B **62**
Springvale Rd. *S Kirk* —2C **66**
Spring Vw. *Oss* —1F **31**
Springville Gdns. *Upt* —4D **64**
Springwell Ct. *Ting* —2E **5**
Springwell Rd. *Oss* —2E **31**
Spurr Gro. *W'ton* —3D **46**
Spurrier's Av. *Knot* —2E **27**
Square, The. *C'frd* —4G **13**
Square, The. *Knot* —5E **15**
Squirrels Drey. *Dur* —2D **44**
Stablers Wlk. *Altft* —1A **22**

Tingley. —2E 5
Tingley Av. *Ting* —2E 5
Tingley Comn. *Morl* —1B 4
Tingley Cres. *Ting* —2C 4
Tinsworth Rd. *Wake* —5E 45
Tintagel Ct. *Nor* —2B 22
Tippaty La. *Knot* —4H 15
Tithe Barn St. *Horb* —6G 31
Toll Bar La. *Wren* —4C 18
Toll Bar Rd. *C'frd* —4F 11
Tolson St. *Oss* —5B 16
Tombridge Cres. *Kin* —2G 61
Tom Dando Clo. *Nor I* —3E 23
Tom Wood Ash La. *Upt* —4F 65
Tootal St. *Wake* —2H 33
Topcliffe. —1C 4
Topcliffe Fold. *Morl* —1C 4
Topcliffe Gro. *Morl* —1C 4
Topcliffe La. *Morl* —1C 4
Topcliffe La. *Ting* —1D 4
Top Headlands. *Oss* —2C 30
Top La. *Bret* —2D 54
Top Orchard. *Ryh* —2B 60
Top St. *Hems* —4A 62
Tower Av. *Upt* —3C 64
Towers Clo. *Croft* —1A 48
Towers La. *Croft* —6B 36
Towers Paddock. *C'frd* —4E 13
Towlerton La. *Wren* —3C 18
Town End. —6E 17
(nr. Ossett)
Town End. —2G 7
(nr. Rothwell)
Town End. *Oss* —2D 30
Town End Av. *Ackw* —2G 51
Townfold. *Oss* —1E 31
Towngate. *Oss* —1E 31
Townley Rd. *Wake* —2B 32
Town St. *Carl* —1H 7
Town St. *Earl* —6A 16
Town St. *Hems* —4A 62
Townville. —6H 13
Towton Dri. *C'frd* —5G 11
Traines Ho. *Wake* —2G 33
Trent Av. *Nor* —1A 22
Trevor Ter. *Carr G* —5C 6
Trigot Ct. *S Kirk* —2C 66
Trilby St. *Wake* —6H 19
Trinity Bus. Cen. *Wake* —2A 34
Trinity Chu. Ga. *Wake* —1G 33
Trinity Ct. *S Elm* —1G 67
Trinity Ho. *Wake* —1H 33
(off Kirkgate)
Trinity St. *Pon* —4H 25
Trinity St. *Wake* —4B 34
Trinity Vw. *Oss* —6D 16
Trinity Way. *S Elm* —1G 67
Troon Way. *C'frd* —3F 13
Trough La. *S Elm* —2H 67
Trough Well La. *Wren* —2C 18
Trueman Way. *S Elm* —1G 67
Trundles La. *Knot* —2B 28
Truro Dri. *Nor* —2B 22
Truro Wlk. *Nor* —2B 22
Tudor Clo. *Pon* —2G 39
Tudor Ct. *S Elm* —2F 67
Tudor Ho. *Wake* —1G 33
Tudor Lawns. *Carr G* —6C 6
Tudor Way. *C'frd* —3F 13
Tumbling Clo. *Oss* —1E 31
Tumbling Hill. *C'ton* —2C 40
Tun La. *S Hien* —5D 60
Tup La. *Wake* —3C 60
Turnberry Clo. *Ting* —3D 4
Turnberry Ct. *Norm* —4D 22
Turnberry Dri. *Ting* —3D 4
Turnberry Gdns. *Ting* —3D 4
Turner Clo. *Ting* —3E 5
Turner Dri. *Ting* —3E 5
Turner's La. *Knot* —3F 29

Turn O The Nook. *Oss* —1C 30
Turton St. *Wake* —1H 33
Turver's La. *Knot* —2E 29
Twain Cres. *C'frd* —6G 13
Twitch Hill. *Horb* —6H 31
Twivey St. *C'frd* —4A 12
Tyler Clo. *Nor I* —3E 23
Tyndale Av. *Horb* —5A 32
Tyrrell Ct. *Wake* —6B 18
Tythe Barn Rd. *Knot* —2A 28

Ullswater Clo. *Knot* —4G 27
Union Sq. *Wake* —1H 33
Union St. *C'frd* —4H 11
Union St. *Hems* —5C 62
Union St. *Oss* —1D 30
Union St. *Wake* —6G 19
Unity St. *Carl* —1H 7
University St. *C'frd* —4B 12
Uplands, The. *Pon* —6G 25
Up. Ash Gro. *S Elm* —2G 67
Upper Green. —4D 4
Up. Green Av. *Ting* —4D 4
Up. Green Clo. *Ting* —4E 5
Up. Green Dri. *Ting* —4E 5
Up. Green Way. *Ting* —4D 4
Up. Hatfield Pl. *H'cft* —1D 60
Upper La. *Neth* —6C 42
Up. Warrengate. *Wake* —1H 33
Up. York St. *Wake* —6G 19
Upton. —3E 65
Upton Beacon. —3C 64

Vale Av. *Knot* —1F 27
Vale Cres. *Knot* —1F 27
Va. Head Gro. *Knot* —1F 27
Va. Head Mt. *Knot* —1F 27
Valentine M. *Loft* —3G 7
Vale Rd. *Kin* —2H 61
Valestone Av. *Hems* —4C 62
Vale Ter. *Knot* —6F 15
Vale Vw. *Ackw* —2F 51
Valley Av. *S Elm* —2H 67
Valley Ct. *C'frd* —6G 11
Valley Cres. *Wren* —3D 18
Valley Dri. *Wren* —4D 18
Valley Rd. *D'ton* —3G 41
Valley Rd. *Dew* —6A 30
Valley Rd. *Oss* —3D 30
Valley Rd. *Pon* —5H 25
Valley Rd. *S Elm* —3F 67
Valley Vw. *S Elm* —2H 67
Valley Vw. Rd. *Oss* —3D 30
Ventnor Clo. *Oss* —2D 30
Ventnor Dri. *Oss* —2D 30
Ventnor Way. *Oss* —2D 30
Verner St. *Pon* —3A 38
Vernon Pl. *Wake* —3F 33
Vicarage Clo. *S Kirk* —2C 66
Vicarage Clo. *Wake* —6F 7
Vicarage Gdns. *F'stne* —5B 24
Vicarage La. *F'stne* —2B 38
Vicarage St. *Wake* —1H 33
Vicarage St. N. *Wake* —6H 19
Vicar La. *Oss* —4E 31
Vickers Av. *S Elm* —4E 67
Vickers St. *C'frd* —3B 12
Vickers St. *Morl* —1A 4
Victoria Av. *Out* —2F 19
Victoria Av. *Wake* —1E 33
Victoria Ct. *C'frd* —5B 12
Victoria Ct. *Upt* —4C 64
Victoria Gro. *Wake* —4B 32
Victoria Pl. *C'frd* —3B 12
Victoria Rd. *Roys* —6F 59
Victoria St. *Ackw* —4B 50
Victoria St. *C'frd* —3H 11
Victoria St. *F'stne* —2B 38

Victoria St. *Hems* —5C 62
Victoria St. *Horb* —6F 31
Victoria St. *Out* —1F 19
Victoria St. *Pon* —2H 25
Victoria St. *Wake* —6E 19
Victoria Way. *Wake* —2F 19
Victor Rd. *S Kirk* —3C 66
Victor St. *C'frd* —6A 12
Victor St. *S Elm* —3F 67
Victory Av. *Wake* —3C 20
Viking Rd. *Pon* —5A 26
Villa Clo. *Ackw* —1F 51
Violet Pritchard Ho. *Pon* —4H 25
(off Horse Fair)
Virginia Clo. *Loft* —5E 7
Virginia Ct. *Loft* —5E 7
Virginia Ct. *Oss* —2E 31
Virginia Dri. *Loft* —5E 7
Virginia Gdns. *Loft* —5E 7
Vissitt Clo. *Hems* —5H 61
Vissitt La. *Hems* —5G 61

Wadhouse La. *Dur & Wake*
—1D 44
Waggon La. *Upt* —4D 64
Wain Dyke Clo. *Nor* —2C 22
Waindyke Way. *Nor I* —3D 22
Waites Cft. *K'gte* —2H 5
Waites Cft. *Out* —2F 19
Waite St. *Wake* —1C 32
Wakefield. —1G 33
Wakefield 41 Ind. Pk. *Wake*
—5D 6
Wakefield Commercial Pk. *Horb*
—1E 43
Wakefield Cres. *Dew* —5A 16
Wakefield Europort. *C'frd* —6C 10
Wakefield Museum. —1G 33
Wakefield Rd. *Ackw* —4B 50
Wakefield Rd. *Fitz* —5G 49
Wakefield Rd. *Horb* —6H 31
Wakefield Rd. *Oss* —6E 17
Wakefield Rd. *Oult* —2D 8
Wakefield Rd. *Pon* —1E 39
Wakefield Rd. *S'hse* —2E 37
Wakefield Rd. *Warm & Nor*
(in two parts) —1G 35
Wakefield Trinity R.L.F.C.
—4B 34
Walden Howe Clo. *F'stne* —5A 24
Walden St. *C'frd* —4B 12
Waldorf Way. *Wake* —2G 33
Walker Av. *Wake* —6D 18
Walkergate. *Pon* —4A 26
Walker La. *Horb* —6H 31
Walker's Ter. *Wake* —1F 33
Wallace Gdns. *Loft G* —5F 7
Walled Garden, The. *Wool*
—4E 57
Walmsley Dri. *Upt* —4D 64
Walnut Av. *Dew* —6A 16
Walnut Av. *Wake* —6D 18
Walnut Clo. *Dew* —1A 30
Walnut Clo. *Pon* —2G 39
Walnut Cres. *Dew* —6A 16
Walnut Cres. *Wake* —6D 18
Walnut Dri. *Dew* —6B 16
Walnut Dri. *Nor* —6A 22
Walnut Dri. *Pon* —2F 39
Walnut Gro. *Dew* —6B 16
Walnut La. *Dew* —6A 16
Walnut Pl. *Dew* —6A 16
Walnut Rd. *Dew* —6A 16
Walnut St. *S Elm* —4F 67
Walton. —2D 46
Walton La. *Wake* —6A 34
Walton Rd. *Upt* —3F 65
Walton Sta. La. *Wake* —2A 46
Walton Vw. *Croft* —1H 47

Ward Fall. *Hall G* —6D 44
Ward La. *Stan* —3C 20
Warmfield. —1H 35
Warmfield La. *Warm* —6G 21
Warmfield Vw. *Wake* —6B 20
Warneford Av. *Oss* —6D 16
Warren Av. *Knot* —1F 27
Warren Av. *Wake* —5H 33
Warren Clo. *Roys* —6F 59
Warren Ct. *Wake* —1H 33
Warren Dri. *Ack* —5G 23
Warren Ho. *Pon* —4H 25
(off Horse Fair)
Warren Ho. *Wake* —1G 33
(off Kirkgate)
Warren La. *Not* —6G 57
Warren Rd. *F'stne* —1H 37
Warwick St. *Wake* —4B 34
Wasdale Cres. *Wake* —6C 18
Wasdale Rd. *Wake* —6C 18
Watchit Hole La. *Thpe A* —5E 53
Waterfall Fold. *Pon* —2A 26
Water Fryston. —1A 14
Watergate. *Meth* —3A 10
Watergate. *Pon* —4G 25
Waterhouse Dri. *E Ard* —4H 5
Waterhouse Gro. *Wake* —1E 33
Water La. *E Hard* —5H 39
Water La. *Hems* —1A 66
Water La. *M'twn* —1D 42
Water La. *Pon* —2B 26
Water La. *Stan* —1B 20
Water La. Clo. *M'twn* —1D 42
Waterloo Clo. *C'frd* —6F 11
Waterloo St. *Wake* —3H 33
Waterton Clo. *S Kirk* —2D 66
Waterton Clo. *W'ton* —3C 46
Waterton Gro. *Wake* —2D 32
Waterton Ho. *Wake* —2C 32
Waterton Rd. *Wake* —3B 32
Waterton St. *C'frd* —4H 11
Waterwood Clo. *Ting* —4F 5
Watling Rd. *C'frd* —2H 13
Watson Av. *Dew* —5B 16
Watson Cres. *Wake* —6A 20
Watson St. *Morl* —1A 4
Watson St. *Nor* —3A 22
Wauchope St. *Wake* —2F 33
Waulkmill Clo. *Upt* —4C 64
Wavell Gth. *Wake* —2B 46
Wavell Gro. *Wake* —2A 46
Weavers Rd. *Pon* —4A 26
Webster Pl. *Nor* —3A 22
Weeland Av. *Shar C* —4B 36
Weeland Ct. *Knot* —2A 28
Weeland Cres. *Shar C* —3C 36
Weeland Dri. *Shar C* —4C 36
Weeland Rd. *Croft & S'hse*
—5H 35
Weeland Rd. *Knot* —2A 28
Weetworth Av. *C'frd* —5D 12
Welbeck La. *Wake* —5C 20
Welbeck St. *C'frd* —3B 12
Welbeck St. *Wake* —4H 33
Welburn Clo. *S'dal* —6A 34
Wellcroft Gro. *Ting* —4F 5
Wellesley Grn. *Wake* —6C 18
Wellgarth Rd. *F'stne* —3C 38
Wellgate. *C'frd* —5D 12
Wellhead M. *C'thpe* —5D 44
Wellington Pl. *Knot* —1F 27
Wellington St. *Althpe* —6C 18
Wellington St. *C'frd* —3H 11
Wells Ct. *Oss* —2C 30
Welwyn Rd. *Dew* —2A 16
Wensley Dri. *Pon* —1A 40
Wensley St. *Horb* —6G 31
Wensley St. E. *Horb* —6G 31
Went Av. *F'stne* —3A 38